D1270153

ÁNCORA Y DELFIN. 169

ANGEL M.ª DE LERA.–LA BODA

ANGEL M.ª DE LERA

LA BODA

EDICIONES DESTINO
Tallers, 62 – BARCELONA

Primera edición: mayo 1959

Depósito legal B. 7096. 1959

Para María Luisa, mi mujer,
porque ella alumbró en mí
la esperanza.

PRELUDIO

I

ERA un hombre alto, de anchas espaldas. Vestía chaquetón de pana y pantalones de montar. Se detuvo junto al arranque del bosque de pinos, que trepaba por el talud hasta perderse en la sombra centelleante del fondo, y pisó concienzudamente la punta del cigarrillo que acababa de tirar al suelo. Ante sus ojos se abrían zigzagueantes sendas entre los árboles, formadas por los chorreos del monte en los días de lluvia y de deshielo. Eran como arrugas de un faz añosa, cauces de un lagrimear antiguo y sin remedio. En aquel punto la arboleda era rala y los pequeños pinos, inclinados sobre la cuesta, parecían un tropel de chiquillos asustados que huyeran hacia el oscuro y carnoso seno maternal del bosque.

El hombre golpeó después con la punta de la bota un grueso tronco abatido por el viento, y se sentó en él. El hombre tenía unos penetrantes ojos grises, rodeados de signos de astucia y de energía. Su boca era fina y fuerte el mentón. Se pasó la mano por la barba y dejó resbalar sus ojos por el caserío del pueblo que se tendía por la ladera. Eran casas pequeñas, de piedra sin labrar o de mampostería descarnada. Llegaban, sin orden ni concierto, hasta la planicie. Allí se erguía la fábrica de la pequeña iglesia, cuya espadaña tenía un solo ojo abierto para un único esquilón, y a cuyo amparo se había formado una plazoleta con un solo árbol, un frondoso nogal, en el centro. El pueblecito, sin ecos ni humos de chimenea, parecía desierto. El crepúsculo vespertino bajaba del monte a toda prisa, arrastrado por un vientecillo sutil que se deslizaba, como un escalofrío, entre las hojas de los árboles.

El hombre no aparentaba estar enredado en pensamiento alguno. Parecía, más bien, observar indiferentemente el paso del tiempo, sumido en la contemplación perezosa de un panorama familiar exento de sorpresa e interés. Así estuvo todo el tiempo mientras en los confines se iba formando un círculo de rumores que se ceñían más y más en torno al caserío. Brotó un tintinear de esquilas de ganado; sonaron voces sueltas, ecos de canciones, risas de mujer y alguna que otra interjección varonil: toda la vida dispersa por el campo que volvía a concentrarse en el pueblo. Y algunas chimeneas empezaron a humear, y el esquilón de la iglesia estremeció el aire con un llanto triste, casi un balido.

El hombre sacó la petaca y lió parsimoniosamente un cigarrillo, volviéndose contra el viento. Luego, lo encendió, pero apenas hubo saboreado un par de bocanadas de humo, cuando algo llamó poderosamente su atención, hasta entonces desparramada y vagabunda, hacia la pinada. El ruido era leve, pero suficiente para avisar la llegada de una persona. Un carraspeo varonil, algo cascado ya, y, luego, la aparición de una alta figura parda, tocada con un ancho sombrero, bastaron para que el hombre del pantalón de montar se pusiera rápidamente en pie. No obstante, esperó en silencio, dejando caer el cigarrillo y amusgados los ojos, hasta que el otro llegó a su misma altura. El que llegaba era un hombre sarmentoso, ya entrado en años, con un flequillo canoso pegado a la frente. Fue el primero en saludar:

—¡Buenas tardes, señor Luciano!

—¡Buenas tardes! —respondió el del pantalón de montar, y añadió—: Le estaba esperando, señor Tomás.

El recién llegado hizo un gesto de asombro, y en sus pupilas brilló la astucia maliciosa de un gato montés.

—¿No le parece ya muy tarde para platicar aquí? Sería mejor en mi casa delante de dos vasos.

Luciano se encogió de hombros.

—Hay cosas que se hablan mejor al aire libre. Además, es tan sólo lo que dure un cigarro.

Había sacado la petaca entre tanto y se la tendió al señor Tomás.

—Todavía podemos vernos las caras, ¿no? — dijo después.

El viejo le miró escrutadoramente y Luciano le sostuvo la mirada sin pestañear. Luego, ambos bajaron los ojos a los cigarrillos que estaban liando.

—Mejor sentados — dijo seguidamente Luciano al tiempo de ensalivar el papel.

El señor Tomás asintió con la cabeza y se sentó en el tronco que le señalaba Luciano. Éste se sentó también. Quedaban paralelos sus perfiles. Y los dos miraban de frente hacia la planicie, donde se destacaba el pequeño apeadero del ferrocarril, y dieron unas chupadas a sus cigarrillos en silencio, como si nada tuvieran que decirse. Ya las chimeneas se habían animado y desde todos los puntos afluían hombres y bestias. El campanilleo de las ovejas y de las cabras se hizo más notorio. El bosque de pinos se había ennegrecido totalmente y las sombras se apelmazaban en el aire.

Al fin, ya mediados los cigarrillos, dijo Luciano de pronto:

—Buena otoñada, ¿eh?

—¡Psché! — exclamó quedamente el señor Tomás al tiempo que se encogía de hombros —. Nunca se sabe...

—Eso es verdad.

—El año pasado nadie lo esperaba y fué buena. También el verano vino bien. Nunca se sabe...

No se miraban y parecía que hablasen a algún fantasma que anduviera por delante de ellos.

—Quiero quedarme en el pueblo — dijo después Luciano.

El señor Tomás ladeó la cabeza para mirarle de soslayo.

—Eso está bien, señor Luciano. La vida aquí no es mala. Claro que allá puede que fuese mejor.

—No volveré más allá. Quiero quedarme aquí.

—Y digo que está bien. La familia tira, ya lo creo.

Luciano se había vuelto también hacia su interlocutor, buscándole los ojos. El señor Tomás los entornó cucamente.

—Tirar sí que tira, pero es que uno quiere también pararse de una vez... —y Luciano dejó caer suavemente el puño cerrado sobre una rodilla —. Estoy harto de andar de un lado para otro y de buscar...

—Claro, dineros ya tiene. Puede tener tierras aquí, y ganados. Los dineros en el Banco se van y no se ven. La tierra siempre está y se toca — y el viejo dejó aflorar una leve sonrisa de dientes negros y desemparejados.

Luciano asintió con un movimiento de cabeza. El señor Tomás prosiguió:

—Pero, a lo mejor, los sobrinos, los hijos de don José pueden tener otras miras el día de mañana. Puede que no les gusten las tierras, ni los ganados y quieran volar a la capital para hacerse maestros también, o médicos...

Luciano se encogió de hombros.

—No es por ahí, señor Tomás — dijo.

El señor Tomás puso cara de asombro y luego volvió a mirar otra vez hacia adelante. Los dos cigarrillos se habían apagado y el viejo echó mano al chisquero de yesca. Mientras golpeaba el hierro contra el pedernal oyó que Luciano decía sin jactancia:

—Dineros me sobran para comprar todo el pueblo...

Al señor Tomás le fulgieron los ojos con el chisporroteo de la yesca. Encendió su cigarrillo y, después, ofreció lumbre a Luciano, pero éste había tirado al suelo el suyo apagado, y rehusó.

—El señor Vicente, Pelocabra, creo que anda mal y quiere vender. Si usted le aprieta un poco... Es que desde que se marchó a la capital el Isabelo...

Luciano meneó la cabeza.

—Ya le he prestado algo.

—Entonces ya lo tiene en la mano.

—No. Se lo presté sin interés. No me gusta ahogar a la gente... —y, tras una pausa, preguntóle—: ¿No fué Isabelo novio de su Iluminada?

El viejo tardó unos segundos en contestar.

—Sí —dijo luego apretando los dientes.

—Regañaron, ¿no?

El viejo le miró de frente.

—Se envició allá con cualquiera sabe qué zorra.

Luciano habló entonces serenamente.

—Bueno. A mí me gusta su Iluminada.

El señor Tomás cerró aún más los ojos y, luego de chupetear la punta medio deshecha del cigarrillo, exclamó:

—Ni me lo barruntaba siquiera...

Se desparramaban las lumbres del cigarrillo. Lo tiró.

—Ni me lo barruntaba siquiera —repitió mirando al frente donde ya el aire perdía transparencia, velado por sombras grises que se extendían como telarañas temblorosas.

—Pues puede que tampoco Iluminada —murmuró Luciano—. Como nunca he logrado tropezarme con ella...

—Es que mi Ilu no sale de casa más que los domingos a misa primera...

Hubo un corto silencio. El señor Tomás dijo luego, como hablando consigo mismo:

—Así era antes. Ahora son los padres los últimos en enterarse.

—Es que a mí me gusta tratar los negocios con los hombres primero.

Se miraron los dos hombres; el señor Tomás, ocultándose tras la maraña de sus peludas cejas; Luciano, acerando aún más la punzada de sus ojos grises. Las sombras pasaban entre ellos...

—Pero mi hija es pobre en comparación — dijo el señor Tomás lentamente.

—Yo no he contado sus dineros, señor Tomás — repuso Luciano con voz cortante.

—Pobre, se lo digo yo — y se miraba las rodilleras de sus pantalones de pana —. Aquí todos somos pobres, quien más quien menos.

—Yo no he venido a buscar fortuna aquí.

El señor Tomás se sobaba las rodilleras de sus pantalones de pana y dijo:

—Pero hay que hablar de todo. Es lo derecho, me pienso yo. Cuando yo hablé con el que iba a ser mi suegro, le dije: "Tengo treinta ovejas". Él me dijo: "Mi hija llevará veinte. ¿Estamos conformes?" Regateamos y le dió diez ovejas más a su Venancia. Así juntamos sesenta ovejas para casarnos. La casa me la tuvo que dar mi madre porque padre no tenía ya. Por eso hablé con mi suegro. De haber tenido padre, lo hubieran apañado todo los viejos. Por eso le digo...

—Yo tampoco tengo padre — y Luciano sonrió.

—Por eso mismo — añadió el viejo monótonamente.

Nuevo silencio. Hacía rato que había enmudecido el esquilón de la iglesia. Un viento, crecido, arrastraba nubes cada vez más gruesas. Las últimas luces, antes de desaparecer, habían prendido algunas estrellas pálidas en el cielo.

—Usted es viudo, ¿no?

—Sí — fué la respuesta de Luciano.

—Malo, malo...

Luciano no replicó.

—Me pienso, pues, que el poco ganado que tengo debe ser para el hijo, que es el que lo entiende — volvió a decir el viejo.

—Bueno.

—Edad también tiene el doble que ella.

—Hombre, no tanto.

—Por ahí le andará.

—Casi, casi...

—Más mérito para mi muchacha.

—Más.

El viejo suspiró.

—También me pienso que la casa — dijo — tiene que ser para el varón, que es el que me puede dar nietos. La Iluminada es joven y sana, pero puede que usted ya, con tanto andado... — y el señor Tomás dejó escapar una risita cascada. Luego puso una mano en el hombro de su interlocutor y dijo —: Los hombres que corren por esos mundos ya se sabe... No lo tomará a mal, ¿eh?

Luciano callaba. El viejo añadió:

—Con la otra tampoco tuvo hijos, ¿verdad?

—Tampoco.

—¡Velay!

Luciano se removió impaciente y preguntó:

—¿Qué más hay que hablar?

—Aún queda — contestó el señor Tomás, repentinamente serio otra vez —. Hay que tener en cuenta que es usted forastero. Es una mala condición para casarse con una muchacha de aquí. Bueno, mala condición para el forastero, no: mala para los del pueblo, que se pierden un buen pico... Siendo usted forastero, ya tiene bastante con la parte de la renta de los pinos del pueblo que le toca a mi Iluminada. No sale usted mal, no. Hay años que...

—Por mi parte, renuncio — dijo secamente Luciano.

—No, eso sí que no. Usted puede renunciar a lo suyo, pero no a lo que le pertenece a ella de por vida, por haber nacido en este pueblo. Nadie sabe lo que puede pasar, hermano. Ahora, hay que tener en cuenta a los del pueblo. Les va a sentar mal este casorio. ¡Como una coz les va a sentar!

—Yo les compensaré de alguna manera.

—¡Quiá!

—¡De verdad!

—¡Que no!

Se habían acalorado. El enardecimiento hizo olvidar al viejo su habitual postura de cazador.

—Algún mozo tendrá los ojos puestos en mi Iluminada. ¿Y qué le va a dar usted a ese? Nada. Pues él no le perdonará. Puede que se forme la gorda por eso. ¿Viudo y forastero? ¡Malo!

Luciano frunció las cejas y apretó los labios. Su perfil se hizo duro y agresivo.

—Eso ya es cuenta mía — dijo mordiendo las palabras —. Soy duro de pelar, me parece.

—Si se sabe... Allá mató usted muchos negros, dicen — y el viejo se encogió de hombros.

—Aquí siempre dicen... Lo sé. Pues mejor es que digan. Pero la verdad es que en África no eran los negros los peores. Los peores eran los blancos...

—Eso usted lo sabrá. Yo no entiendo de retórica. Digo lo que dicen, señor Luciano. Y, claro, como aquí las bodas son siempre sonadas, me barrunto que la de usted con mi Iluminada, si ella consiente, va a ser de órdago. En la última, la del Pote, los mozos sacaron al novio de la cama y lo tuvieron un día entero encerrado en una paridera. Y eso que no había nada de particular... Bueno, ya estaba usted aquí. Así que usted dirá...

Sintieron unos pasos entre la maleza y ambos volvieron los ojos en aquella dirección. En efecto, contra la masa oscura de los árboles se destacó una figura humana. La claridad del calvero apenas le perfilaba ya. Era un bulto gris con manchas de móviles sombras, que se acercaba a ellos pausadamente. Cuando la proximidad permitió entreverle el rostro bajo el ala de la boina caída sobre la frente, se oyó su voz, recia y áspera:

—¡Buenas!

—¡Con Dios! — contestó el señor Tomás.

El hombre estaba ya de espaldas, bajando la pendiente que llevaba al pueblo. Y desapareció en seguida, como tragado por la tierra, entre un leve rumor de pedrezuelas y chasquidos de pana.

—Este Margarito... — murmuró el señor Tomás cuando se hubo apagado totalmente el rumor de los pasos de aquél —. Anda siempre solo por el monte, como un lobo... No hace caso de las ovejas de su padre ni de nada. No vale más que para las cortas del pino. Su hacha es la mejor, eso sí. Pero que no le hablen de otra cosa. Desde que el Isabelo se marchó, su padre no ha podido hacer carrera de éste. Por eso Pelocabra está cada vez más seco y su hacienda, más esmirriada. Ha tenido mala suerte con sus hijos. Les puso nombre de mujer porque él quería hembras, que aquí dan más por lo de los pinos. ¡Todo le ha salido mal al pobre!

Calló el viejo. Sobre el caserío se arremolinaban ya las sombras de la noche otoñal. Entre la masa oscura de las casas brillaba tenuamente alguna que otra luz.

—Ya han dado la corriente — dijo de pronto el señor Tomás —. Y aún nos queda...

—¿El qué? — preguntó Luciano.

Ya no se veían los ojos. Sólo distinguían el brillo de las pupilas y la claridad ahumada de los rostros y de las manos, éstas posadas de continuo sobre los muslos o sobre las rodillas.

—La cuestión de la casa también tiene su porqué — contestó el señor Tomás —. Porque usted no tiene casa.

—La mandaré hacer aquí mismo, donde estamos.

—En los altos del pueblo... Ya.

—Eso.

—Bien — el viejo se pasó el dorso de una mano sobre los labios —. Con dineros todo se puede.

—¿Qué más?

El viejo se volvió hacia Luciano. Le miró fijamente durante unos segundos y, luego, dijo:

—Te voy a llamar de tú ya. Vas para yerno y, además, te llevo más de veinte años, ¡qué ño!

—Como quiera.

—Pues mira: quiero un seguro para mi hija. A lo mejor no tenéis hijos y entonces todo sería para los sobrinos. Y no estaría nada bien. Quiero un seguro para mi Iluminada. ¿Qué pones?

Luciano le sostuvo la mirada sin pestañear. El señor Tomás sonreía aún con una sonrisa negra y ovalada.

—Lo que ella quiera — contestó seriamente Luciano.

—Hombre, ella no sabe.

—Pues lo que usted diga.

El señor Tomás le dió entonces unos golpecitos en el hombro mientras Luciano permanecía rígido.

—Pues, hombre, la casa, algunas tierras, dineros en el Banco...

—¿Cuánto en el Banco?

El señor Tomás se pasó la lengua por los labios. Carraspeó y, después, dijo, tartamudeando:

—Cuarenta mil duros — y oyó, contenido el aliento, que le contestaba Luciano:

—Vale.

Entonces el viejo quiso reír y repitió sus golpecitos en el hombro a Luciano.

—Vale, vale — repitió —. Será una boda por todo lo alto, ¿eh? Como no ha habido otra en el pueblo, ¿eh? Y la Ilu no sabe nada, ¿eh?

—Nada. Ya se lo he dicho antes — respondió secamente Luciano, que aparecía impasible.

El señor Tomás cerró la boca y apoyó las manos en las rodillas. Al ponerse en pie, gruñó:

—Me apuesto a que llueve dentro de nada. Me ha empezado a doler la reúma...

Luciano se levantó también, exhalando un suspiro de alivio.

—Puede que tengamos una buena otoñada, sí — volvió a decir el señor Tomás.

Se oyó un pitido penetrante, que desgarraba el silencio como una flecha, y ambos dirigieron la mirada al apeadero del ferrocarril. Llegaba un tren, con muchos ojos iluminados junto a la cabeza y con una larga cola oscura, que se detuvo.

—El mixto — murmuró el viejo sacando su reloj. Y añadió después —: Hoy ha llegado a su tiempo.

Echaron a andar en silencio bajo el dosel aterciopelado de la noche. Crujían los guijarros bajo las pisadas de los dos hombres. Olía a bosque lujurioso y empezaron a oírse diálogos caninos por todos los ámbitos del pueblo.

—Vente a casa después de la cena — dijo el señor Tomás.

Y se separaron en seguida sin una sola palabra más.

* * *

Iluminada, de pie junto a la mesa de pino, echó las cucharas dentro de la fuente de barro. Venancio se levantó. Entonces el señor Tomás dijo:

—El Negro me ha hablado esta tarde de la Ilu. Se ha portado bien — volvióse para mirar fijamente a su hija, que se había quedado suspensa y le interrogaba con los ojos, y añadió —: Falta que tú consientas. A mí me parece un hombre cabal.

Venancio preguntó:

—¿El señor Luciano?

La vieja, que estaba hurgando en la alacena, se volvió para mirar a su marido. Su gesto, alargando la mandíbula y arrugando los párpados, era como el de quien no oye bien. La puerta de la alacena se cerró entonces sola, produciendo un leve ruido.

Iluminada seguía quieta, con la fuente de barro en la mano. Abrió mucho los ojos y luego los bajó, clavándolos en el fondo de la fuente donde aún relucían los restos grasientos del guiso.

—Sí, el señor Luciano, que le dicen el Negro — aclaró el señor Tomás —. Pone una buena dote. Y todo se ha arreglado como Dios manda.

El padre, la madre y el hermano miraban a la muchacha. La vieja dijo con voz un tanto chillona:

—Como quien no quiere la cosa... ¡El Negro! Y yo sin saber nada...

La chica miró a su madre con azoramiento. Continuaba sin moverse. Sus grandes ojos negros se nublaron y sus mejillas pasaron de un rojo intenso a una palidez extrema. Venancio había fruncido el entrecejo.

—La muchacha tampoco sabía nada, mujer — dijo el padre.

Iluminada aprovechó el respiro que le proporcionaba el diálogo para irse con los cacharros hacia el lebrillo de fregar, en el otro extremo de la cocina.

—Es que como hoy lo apañan todo los novios y hasta se toman unas confianzas... — murmuró la vieja.

—Ya te he dicho que el Negro es cabal, cabal del todo.

—Me alegro. Claro que ya tiene edad...

Venancio exclamó de pronto:

—Pero si es viudo y forastero... ¡Menuda quimera se va a liar en el pueblo!

El padre le miró severamente.

—No serás tú quien la emprenda — le dijo.

—Tú, a callar — le gritó la madre— ¡Que Dios te libre!

—El Negro es rico y aquí todo el mundo hará chitón por la cuenta que le tendrá, empezando por ti y acabando por los Pelocabra — y el viejo se cruzó los labios con el índice.

—El Isabelo... — gruñó la vieja con desprecio — ¡Un tunante! A ése no le importa ya nada todo esto.

—Pero está el Margarito — arguyó Venancio.

—¡Bah! — exclamó la madre — ¡Desheredados se van a quedar los dos!

—Ni ése ni nadie levantará la voz en el pueblo. Dineros mandan — sentenció el señor Tomás —. Y por lo que a ti te toca, no olvides que vas a tener el cuñado más rico de todo por aquí.

—Lo que es a mí se me da una órdiga del Negro y de toda su familia — estalló brutalmente Venancio —. Dió la espalda a sus padres y arrancó hacia la puerta de la cocina.

—¡Eh!

El grito del señor Tomás hizo que Iluminada dejase de cacharrear en el lebrillo. No volvió la cabeza, pero no pudo dominar el temblor de las piernas y de las manos. Venancio sí se volvió a la voz de su padre. Era un muchachote magro, pero fuerte y musculoso. Apenas le sombreaba las mejillas un leve bozo castaño, y un corto flequillo de pelo del mismo tono le caía sobre la frente estrecha y carnosa. Se quedó mirando a su padre, sorprendido, con la boca redonda.

—¡Aquí nadie se sale de la linde! ¿Estamos?

Venancio se encogió de hombros maquinalmente.

—Pero yo no quiero saber nada... Si para cuando sea la boda estoy en la *mili,* mejor... —y salió murmurando —: Y que no me llamen para entonces porque no vendré.

Sus padres le vieron desaparecer y escucharon sus pasos hasta que el ruido de éstos se desvaneció en el piso de tierra del corral. El viejo meneó la cabeza.

—Es como un mulo — dijo.

—Como mozo que es — corrigió la madre.

El señor Tomás miró a su mujer, que estaba al otro lado de la mesa, y asintió con un leve gesto. Luego, se dirigió a su hija, que seguía de espaldas a él e inclinada sobre el lebrillo. Nuevamente había reanudado su tarea del fregoteo.

—Y a ti, ¿qué te parece, Ilu?

Ella dejó de hacer ruido y, sin volverse, contestó:

—Por mí, lo que ustedes digan.

—Pero, eres tú la que ha de casarse con el Negro... — continuó diciendo el señor Tomás —. No quiero que digas un día que te obligamos.

—Ella qué ha de decir — intervino la madre —. Ni ahora ni nunca. A la vista está que le conviene.

—Cállate tú ahora — y el señor Tomás hizo un gesto enérgico con la mano a su mujer para que se callase —. Que le conviene, lo sabemos tú y yo muy bien. Lo que hace falta es que ella consienta de buena gana.

La chica continuaba quieta. Se le acercó la madre y la cogió por un brazo.

—Anda, muchacha, contesta a tu padre — le dijo.

Iluminada se volvió entonces. Le brillaban los ojos de ira y le temblaba la boca. De sus dos manos chorreaban gotas de la grasienta agua del lebrillo. Después de mirar sucesivamente a sus progenitores, bajó la vista a sus pies.

—Que sea lo que tenga que ser — dijo, disimulando todo lo posible el tono desabrido de sus palabras —. ¿Están contentos así? Pues ya pueden ir preparando la boda.

—Pero, mujer — trató de reprenderle Venancia.

—¡Punto en boca tú! — ordenó de nuevo el señor Tomás a su mujer.

Y la muchacha habló de prisa:

—Puede que me convenga ese hombre. No digo que no. No es de despreciar, desde luego, pero podían ustedes haber esperado a que me lo dijera a mí primero. Por poco me casan sin enterarme, vamos. Y, así como así, casarse no es ninguna bobada...

—¡Redicha! — le increpó su madre.

—Bueno — intervino el padre —. Ya está dicho lo principal.

La muchacha se volvió a su tarea y los viejos cruzaron una mirada de inteligencia entre sí. A una señal del padre, la madre dijo a Ilu, dulcificando la voz:

—Y que no te dé reparo el que sea algo maduro. Los maridos viejos son los mejores. Todo lo contrario que los mozos, que son muy burros, y que en cuanto se les pasa el berrinche ya no le hacen caso a una. Una prima mía se casó con un viejo y él la tuvo en palmitas hasta que ella se murió, creo yo que de tanto cuido y tontería...

—Como no va a andar por ahí, rondando como un mozuelo, le he dicho que venga a casa nada más cenar. Así que estará al caer — dijo el viejo.

Entonces la madre dió a la chica un cariñoso empujoncito, diciéndole:

—Anda, deja eso y ve a repeinarte un poco, mujer... Mientras, yo alzaré la mesa y barreré un poco.

Iluminada, siempre sin levantar los ojos, no se hizo repetir la invitación y salió silenciosamente de la cocina. Pronto se oyeron los crujidos de los peldaños de madera bajo sus pies. La escalera arrancaba del portal y subía a las alcobas.

—Claro que ha sido muy de repente — murmuró el señor Tomás meneando la cabeza.

—Ya se le pasará. No tengas apuro por eso, hombre.

La vieja comenzó a recoger la mesa y el señor Tomás a liar un cigarrillo.

—¿Y cuál ha sido el trato? — preguntó la vieja mientras trajinaba.

—Una casa que va a hacer en los altos del pueblo, algunas tierras, ya veremos cuales, y cuarenta mil duros en el Banco. Todo como dote, a su nombre.

—Entonces es de verdad tan rico como dicen...

—Claro. Estos negreros...

—¿Y de lo nuestro?

—Nada. Todo será para Venancio. La verdad es que el Negro no ha regateado nada. Se ve que no le interesa más que la muchacha. Hasta a la parte de los pinos quería renunciar, mira tú.

—Pero le habrás dicho a eso que no.

—Es natural. Él no puede renunciar a lo que no es suyo.

Apenas había acabado de arrinconar Venancia con la escoba algunas ramas y briznas de leña esparcidas sobre el lar, cuando sonaron unos golpes en la puerta de la calle y se oyó la voz de Luciano, el Negro:

—¡A la paz de Dios! ¿Se puede pasar?

El señor Tomás se levantó trabajosamente y contestó:

—¡Pasa a tu casa, hombre!

En el entretanto, Venancia, después de ahuecarse el pañolón negro que llevaba a la cabeza y de haber rehecho el nudo de sus puntas bajo la barbilla, fue a sentarse en el banco de madera de roble, especie de estrado, que había a un lado del lar.

Luciano entró en la cocina con paso lento, guiñando los ojos.

—Pasa, pasa y siéntate — díjole otra vez el señor Tomás.

—¡Buenas noches! — exclamó el Negro, parándose y enarcando las cejas.

—¡Buenas noches! — correspondió Venancia al tiempo que se retocaba el negro pañolón.

—Anda y siéntate, hermano — y el señor Tomás le indicó la silla de al otro lado de la mesa, frente por frente a la suya.

Venancia, que seguía la escrutadora mirada del Negro, contestó a su muda pregunta:

—La muchacha bajará ahora mismo. No es porque

sea mi hija, pero mi Iluminada es limpia como los chorros del oro, y muy mirada para su persona. Pobre, pero muy mirada...

Luciano sonrió suavemente. El padre dijo:

—¿Te apetece un vaso?

Luciano hizo un breve gesto afirmativo y se sentó.

—Tráete dos vasos, Venancia, y la botella.

Y mientras su mujer se dirigía a la alacena por la botella y los vasos, habló otra vez el señor Tomás:

—La muchacha consiente. Es muy callada, ya verás. Mejor. Yo creo que lo mejor en las mujeres, además de limpias, es que sean calladas. En boca cerrada... ¿no te parece a ti?

—No es mala cosa, no — fueron las palabras del Negro.

Los vasos eran de vidrio gordo. El vino, denso y oscuro. La vieja lo escanció y luego se quedó quieta mirando a los dos hombres.

—¡Por tu salud, Luciano! — brindó el señor Tomás.

El Negro alzó su vaso entonces y dijo en alta voz, vuelto el rostro hacia la luz, como quien grita un triunfo:

—¡Por la novia!

Miraba a la puerta de la cocina. La vieja se estremeció sin querer y siguió la mirada del hombre. Entre las sombras del portal se vislumbraba la figura de Iluminada, que pisaba ya los últimos escalones de madera. Y en seguida apareció en la puerta, deteniéndose, indecisa, en el umbral. Llevaba puesto un vestido de domingo con los redondos brazos al aire, medias de seda y zapatos de tacón. Se había recogido el cabello castaño. El rostro, de gracioso óvalo, brillaba de tersura, y los ojos oscuros fulgían extrañamente. La muchacha esperó sin moverse. Los viejos miraban la escena un poco intimidados también. En la muchacha se advertía un doloroso esfuerzo para aparecer serena.

El Negro, después de mojar sus labios en el vino, se

puso en pie de un tirón. Chirriaron las patas de la silla y tembló la mesa. Y el Negro se adelantó hacia Iluminada a grandes pasos y manteniendo el vaso en la diestra.

—¡Buenas noches, Iluminada! —dijo Luciano sonriente, y con una voz tierna y profunda.

Ella le miró intensamente. Brillaron sus ojos, más grandes, más sombríos y misteriosos. Luciano, por su parte, parecía haber rejuvenecido. De su rostro se había borrado el habitual gesto de desconfianza. Un alma, desconocida de todos, afloraba en él desbordantemente.

—¿No quieres beber tú también? —y alargó el vaso a la muchacha, con un leve temblor en la tremenda mano.

Ella sonrió y se le encendieron las mejillas. Luego cogió el vaso en silencio y bebió de él largamente, como con ansia, cerrando los ojos. Al devolvérselo a Luciano, ya no le miró a la cara. Una repentina risa indómita salió en pompas de entre sus labios. Una risa como un cosquilleo de garganta. Pasó casi corriendo por delante de su galán y fue a sentarse al estrado.

—Habla muy poco, ya te lo dije —comentó el padre mientras Luciano, que había seguido con alegres ojos los movimientos de la muchacha, sonreía comprensivamente.

Ilu recogía ya las ascuas del fuego con una badila, amontonándolas en el centro de la lumbre. Un fulgor rojizo recortaba su perfil, iluminándolo, y siluetaba la redondez del pecho.

—¡Iluminada! ¡Ahora que sí! —murmuró el Negro en voz baja, sin apartar los ojos de ella.

—Sana, también lo es como una manzana —dijo la vieja y se ahuecó el pañolón negro en la frente—. Y hacendosa. No es porque sea mi hija, pero ella sabe hacer de todo. Gracias a Dios no necesita ir al campo, pero, si se tercia, es capaz de hacer la faena de un hombre. No sabe estarse mano sobre mano...

El Negro seguía sin apartar los ojos de la muchacha y ella, hurgando en el fuego. La vieja rezongó:

—Deja el fuego, chica, y atiende a lo que se está hablando.

Entonces Ilu dejó caer la badila, que sonó fuertemente sobre las baldosas de piedra, y se incorporó, quedando en actitud rígida sobre el asiento de madera. Luciano dio unos pasos en busca del frente de la muchacha, hasta el mismo borde del escalón del lar. Y allí se quedó parado, derecho cuan alto era, recibiendo en el rostro el resplandor del fuego. Ella, que le había visto acercarse por el rabillo del ojo, levantó tímidamente la vista hacia él.

—No te asustarás de mí, ¿verdad? — preguntóle él, como se lo hubiera preguntado a un niño.

Ella le miró más clara, más intensamente.

—Es la poquedad, muy propia — dijo el padre —. No le hagas mucho caso. La mujer, cuanto más miel, peor... Siéntate, anda — y dirigiéndose a su mujer añadió —: Llena otra vez los vasos, Venancia.

El Negro tenía aún en la mano el vaso de que bebiera Iluminada.

—Yo tengo bastante con lo que queda aquí — dijo con intención y paladeó las pocas oscuras gotas que escurrió el vidrio, clavados sus ojos en los de la muchacha.

—Poco bebes entonces, hermano — murmuró con sorna el señor Tomás.

—¿Verdad que no me tienes miedo? — volvió a preguntar el Negro al tiempo de entregar a la vieja el vaso totalmente vacío.

Iluminada sonrió y movió negativamente la cabeza.

—Una moza, lo primero que debe tener es vergüenza — mascullo Venancia —. Los hombres aparentáis no hacer mucho caso de eso, pero al menor descaro huis como alma que lleva el diablo... ¡Vaya que sí!

Pero a Venancia se le cortó el hilo de sus filosofías de pronto y cruzó una mirada de asombro con su marido porque Luciano se había sentado jovialmente en el poyo del fogón mientras ella hablaba.

—Ponle una silla ahí, mujer — dijo el señor Tomás.

—No se moleste, señora Venancia — se apresuró a decir Luciano, estirando después las largas piernas —. Así estoy más a gusto.

Iluminada escondió el rostro sobre el pecho sin poder ahogar con ello un gorgorito de risa. El Negro se sonrió también. Entonces, el señor Tomás, para volver, sin duda, las aguas a los cauces de la formalidad, un tanto resquebrajada por el acto juvenil de Luciano, trató de iniciar una conversación de hombres serios.

—Está bien. Pero a la presente no me has dicho todavía qué clase de tierras quieres comprar. Claro que tú eres muy libre de hacer lo que quieras con tu dinero, pero, a lo mejor, por mis años y por mi conocimiento del terreno, podría darte yo un consejo...

El Negro se había vuelto hacia él y le miraba con atención. No hizo, sin embargo, ademán alguno de querer contestarle y el viejo continuó, después de una pausa:

—Si quieres un pedazo en la solanera para sembrar cereales... Pero yo creo que aquí lo que mejor se dan son las patatas. Claro que también podrías poner en pie de riego algunos secanos para el cultivo de la remolacha. Llevamos unos años en que la pagan muy bien.

Pero el Negro movió pausadamente la cabeza en sentido negativo, y el señor Tomás pareció desconcertarse.

—Entonces, ¿qué? — preguntó.

Y Luciano contestó:

—Que no es eso lo más importante ahora. Tengo que decir otras cosas. Para lo que usted mienta habrá tiempo de sobra más adelante — y sin responder a la muda pregunta que le formulaban los ojos de los viejos, se volvió a Iluminada para añadir —: Es menester que conozcas algunas cosas mías, de mi vida, vamos. Ya sabes que pretendo casarme contigo, ¿verdad?

Ella afirmó con un movimiento de cabeza.

—Pues ahora quiero oír de tus labios el *sí*.

La muchacha enarcó las cejas e iba a responder, pero se le adelantó el Negro:

—Espera un poco antes de contestar. Casi no me conoces. Ni tus padres tampoco. Lo que habéis oído de mí son sólo rumores, unos falsos y, otros verdaderos sólo a medias...

—A la legua se ve que tus intenciones son honradas, hombre... —dijo el señor Tomás tratando de sonreír bonachonamente—. Y esto es lo principal.

—¿Quién hace caso de las habladurías, Virgen Santísima? —exclamó Venancia—. Ya sabemos, ya, que aquí por menos de nada le levantan a una los créditos...

Pero Luciano, que había estado recorriendo con su mirada todo el ámbito de la cocina mientras los viejos hablaban, como si no los oyera, se dirigió de nuevo a Iluminada:

—Cuando sortearon mi quinta, me libré por el número, pero luego me vendí por ochenta duros y fui a África como soldado en sustitución de otro. Con aquellos ochenta duros compró mi padre una huerta... Pues bien: cuando terminé mi compromiso, no quise volver a mi pueblo. Es un pueblo mucho más mísero aún que éste. Allí me esperaba la pobreza. Pobreza para toda la vida. Por eso tuve miedo y no volví... —su voz pastosa sonaba con acento triste. Ilu había quedado cautivada por aquella voz desde las primeras palabras y seguía el relato con los ojos fijos en el hombre. El señor Tomás entornó los ojos y abrió el óvalo negro de la boca. Venancia, hasta entonces en pie junto a su marido, se sentó y, en seguida, se ahuecó el pañolón negro sobre las orejas.

—Trasteé por tierra de moros —prosiguió diciendo el Negro—. Hasta que me hablaron de un país que llamaban Angola y me determiné a ir allí con unos portugueses. Lo hice en la primera ocasión, aprovechando un barco holandés que pasó por Ceuta con rumbo allá. Yo tenía entonces veinticuatro años. Tú aún serías así de pequeñita — y, sonriendo, señaló una estatura ridícula sobre el lar.

Calló un momento para mirarse las manos. Los viejos y la muchacha respetaron el breve silencio. Luego, dijo él:

—No era aquéllo tan bonito como me lo habían pintado. Pero ya no había remedio — se encogió de hombros y tornó a mirar a Iluminada —. Y no es que no hubiera campo, sino que los negros eran malos trabajadores. Vaya, lo siguen siendo... A pesar de todo, me enganché a trabajar como trabajan allí los blancos que no quieren perder el tiempo: echando el hígado. La salud, que es allí lo principal, no me falló nunca. Me pude establecer a medias con otro. Al poco tiempo se aburrió mi socio y se marchó, y yo me quedé solo con el negocio, que consistía en una pequeña tienda donde vendíamos de todo. Gané algunas perras, pero no las suficientes para venirme, y aguanté. Mandé, eso sí, algunos cuartos a mis padres para que fueran tirando y para que mi hermano José estudiase algo de provecho. Y pasaron los años. Yo prosperé y amplié el negocio añadiendo a la tienda un salón de café y mesas de juego. Murieron mis padres entre tanto y mi hermano se hizo maestro. Yo hubiera querido que José estudiara una carrera mejor, pero él no dio más de sí. Yo seguía con mi deseo de regresar cuanto antes porque quería casarme con una moza de mi tierra, pero nunca encontraba la ocasión. Es que me iba enviciando en las ganancias. Ya el negocio me daba bastante dinero. Se me ocurrió que la solución estaría en venirme, buscar mujer, casarme y volver para pasar allí unos cuantos años más todavía, el tiempo preciso para reunir una mediana bolsa. Pero entonces ocurrió lo que menos esperaba... A mi café vino a parar una española joven. Era andaluza y bailarina. Nunca le pregunté, ni ella me dijo, por qué caminos había llegado hasta allí... A mí me pareció guapa y buena. Y la verdad es que hasta la presente no he tenido motivos para pensar lo contrario...

Al llegar a este punto, la voz del Negro se enronqueció de manera sensible. Instintivamente apretó los puños sobre las rodillas y chascaron las articulaciones de algunos dedos. Sonaron en el silencio como quejidos de un dolor oculto.

Los viejos permanecían inmóviles, escuchando. Ilu reflejaba en sus ojos y en su postura, inclinada hacia adelante, una emoción creciente y un infantil deslumbramiento. No quería perderse ni una palabra, ni un gesto, ni el más débil trémolo de aquella voz. Los ojos de la muchacha se abrían desmesuradamente como dos grandes ventanas a la luz.

—No sé — continuó Luciano, tanteando las palabras y moviendo la cabeza, perdida la mirada en una visión confusa y distante —, no sé cómo, pero el caso es que aquella mujer y yo... Bueno, el resultado fue que al poco tiempo nos casamos... — y Luciano, con una fría sonrisa a flor de labios, trató de encontrar en los ojos de Ilu el efecto de sus últimas palabras.

—Todo ello es muy propio — comentó el señor Tomás.

Iluminada preguntóle:

—¿Y cómo se llamaba ella?

—Milagros — respondió él.

—Y, después, ¿qué pasó? — insistió la muchacha.

—Después... Fue al poco tiempo. Claro, por mi café pasaban muchos hombres. Llegaban allí a jugarse los ahorros, a emborracharse... Milagros estuvo algún tiempo al frente del mostrador, pero tuve que retirarla de allí para evitar cuestiones con los parroquianos. Y un día, cuando ella se hallaba tendiendo ropa en un jardincillo que teníamos en la parte de atrás de la casa, fue sorprendida por un hombre. Era un portugués borracho que aquel día había pelado en el juego a todos los que se sentaron a su mesa. Después lo supe... Yo me encontraba en la tienda cerrando un trato cuando oí un terrible grito de mi mujer. Cogí, sin más, el rifle y eché a correr hacia el jardinillo.

Pero ya me la había tumbado el portugués de una puñalada, y él tenía un pie en lo alto de la empalizada... Disparé rápido y el tío cayó otra vez al jardín, como un saco.

Se había enardecido y enarbolaba el terrible puño de su diestra. Quedaron por un momento vibrando en el aire sus secas palabras y su amenaza inútil. Luego, continuó, con un acento más amargo:

—A Milagros le había partido el corazón y estaba muerta. Se vio que quiso abusar de ella porque tenía rasgado el vestido y mordidos los pechos. La pobre debió luchar desesperadamente contra el bruto... Pero él pagó. Dijeron que tuve el acierto de volarle la sesera al primer disparo... ¡Qué se yo!

Se calló, cerró los ojos y meneó la cabeza. Siguió un silencio.

—¿Y la Justicia? — preguntó el señor Tomás al cabo de un rato.

—¿La Justicia? — y Luciano abrió los ojos, perplejo —. Estaba bien cumplida, me pienso yo. Así lo dijeron y lo pensaron todos los testigos. Allí es así.

—Menos mal.

Iluminada respiró hondo y se echó hacia atrás sobre el duro respaldo del banco. El Negro parecía haber envejecido de pronto, envuelto en un aire de cenizas.

—¡Jesús, y qué cosas pasan en tierras de moros! — exclamó la vieja.

—Sí, qué cosas... — respondió Luciano como un eco.

La voz de Iluminada era dulce cuando dijo:

—Y si era buena y la quería...

—Era mi mujer y...

Luciano se interrumpió para mirar fijamente a Iluminada.

—¡Y me alegro de que muriera el portugués! — exclamó la muchacha con un acento más vivo.

—¡Gracias! — y Luciano sonrió. La sonrisa, aunque

triste, barrió el aire de cenizas que le había envuelto, y el hombre empezó a recobrar su aspecto normal.

—Claro, ella era su mujer al fin y al cabo — recalcó el viejo golpeando suavemente la mesa con la mano extendida.

Los fantasmas evocados por el Negro se desvanecían como el humo. Y su voz se dejó oír de nuevo, más clara, sin titubeos, en un tono más cálido.

—En vista de lo que había pasado, ya no quise permanecer más tiempo en aquellas tierras. Vendí el negocio bastante bien. Con lo que por él me dieron y con lo que tenía ahorrado junté un capital, no tan grande como algunos piensan, pero lo bastante para mirar la vida con tranquilidad. Después de tantos años vine a parar aquí, a la querencia de mi único hermano José. Y esto es todo — levantó las dos manos en el aire mirando a Iluminada y terminó —: Tenía que contártelo antes de empezar porque quería que supieran ustedes la verdad por mí y no por lo que dicen o puedan decir. La gente fantasea, como es natural. Pero después de lo dicho, no hay más que hablar... Ahora, habla tú, Iluminada.

Ella se estremeció como cogida en falta. El sobresalto le hizo contraerse y mirar a Luciano con gesto suplicante, y él acudió en su ayuda:

—Lo único que tienes que decirme es si consientes ahora en ser mi novia.

Iluminada sacudió dos veces la cabeza en sentido afirmativo. Y silbó más bien que dijo:

—Sí que consiento.

Luciano sonrió. El hombre esplendía plenitud, virilidad fuerte y segura, poder y dominio.

—Bueno — dijo golpeándose los muslos y poniéndose en pie —. Creo que está dicho lo más difícil — se volvió a los viejos con un brillo de ironía en los labios y agregó —: De lo demás, ya hablaremos. Ya hablaremos de las tierras, de la casa, ¡de todo!

Dominaba a todos y parecía llenar la cocina con su corpulencia.

—Me voy, que ya es tarde. Como uno no tiene todavía casa propia, tiene que acatar lo que diga el patrón. Y donde hay patrón no manda marinero.

Sonó su risa y le corearon, con cascados ecos, los padres de Iluminada.

—Anda a acompañar a Luciano hasta la puerta — dijo después Venancia a su hija.

Iluminada avanzó hacia Luciano, que la vio acercársele sin ocultar un destello de ternura en la mirada. De pie sobre el poyo del lar, ella era casi tan alta como él. Pero al bajar el escalón, la muchacha quedó muy disminuida, tanto que ya dejó de mirarle a la cara.

—¡Hasta mañana entonces! — dijo Luciano a los viejos a la vez que Ilu echaba a andar hacia la puerta.

—¡Hasta mañana, hermano, y ésta es tu casa! — contestó el señor Tomás sin levantarse.

—¡Con Dios! — le despidió la vieja.

Luciano cubría totalmente la figura de Iluminada. Y iba hablándole, sin importarle que los viejos le oyeran:

—Me corre prisa casarme, ¿sabes? Pienso que si pudiera ser para San Juan... Tú tienes que señalar el día.

Él atravesó el umbral de la puerta de la calle y ella se quedó dentro. Un resplandor de estrellas caía por el rostro de Iluminada mientras el del Negro quedaba velado por una sombra. Tras un breve silencio en que sólo se oían sus respiraciones, él dijo:

—Te vi el mismo día que llegué a este pueblo. Estabas, como ahora, apoyada en la puerta. Y me dije: "Con ésta me he de casar si está soltera". Eres la más guapa del pueblo. Y yo, donde haya estado, siempre he ido por la más guapa...

Ella, involuntariamente, dejó escapar un leve grito. Pero él se lo ahogó en seguida con un beso, carnoso y blando al principio, pero tremendo después. Se había inclinado sobre ella y ella quedó con la cara vuelta hacia arriba... Dentro, los viejos carraspeaban.

II

EL Negro se detuvo a mirar por última vez el hueco de la puerta de donde había desaparecido ya Iluminada. Luego, inició la subida de la calle principal, que nacía en la plaza de la iglesia y llegaba casi hasta el pinar. Seguía oyéndose el coro de ladridos perrunos, cuyo clamor desperdigaba el viento hacia los lejanos confines. La débil reverberación de los luceros mantenía una transparencia irreal en el alto cielo. Por lo demás, el pueblo, habitado por madrugadores, se había sumido en el silencio y en el descanso.

Luciano, después de cruzar las sombras de unas casas, se detuvo a liar un cigarrillo. Para ello, tuvo que volverse de espaldas al viento. Después de ensalivar el papel, buscó el chisquero en los bolsillos del pantalón. Sus manos pasaron luego a hurgar los de la chaqueta y, al fin, las sacó vacías. Hizo un gesto de contrariedad, se puso otra vez cara al viento y miró a ambos lados de la calle. Y sólo vio algunos bultos negros pegados a las puertas. Pero ninguno de ellos mostraba el brillo de la punta de un cigarro. Escuchó. Lejos, ahogado por el viento, se oía el eco de una jota. Y Luciano se encogió de hombros con resignación. Se puso en los labios el cigarrillo sin encender y reanudó la marcha.

A poco, se detuvo otra vez. Había oído, sin duda, los pasos de alguien que se le acercaba por la espalda. Se volvió rápido, marcando con sus piernas un compás muy abierto. Y, efectivamente, siguiendo su mismo camino se aproximaba la figura borrosa de un hombre. Lo vio en el momento en que le chisporroteaba un cigarrillo a la altura del rostro. Y Luciano esperó.

El que llegaba pareció sorprendido y acortó el paso.

—¡Eh, amigo, dispense! — le dijo Luciano —. ¿Quiere darme lumbre?

El otro entonces se le acercó y, después de darle una chupada al cigarrillo, sin duda para reanimar su fuego, le tendió la mano, ofreciéndoselo.

Luciano, que le escudriñaba el rostro sombreado por la boina, le preguntó, al tiempo de cogerle el cigarrillo:

—Tú eres Margarito, el de Pelocabra, ¿eh?

El otro contestó con voz átona:

—Sí, señor.

—De ronda, ¿eh?

—Sí, señor.

Mientras chupaba para prender su propio cigarrillo, volvió a preguntar el Negro:

—¿Es que tienes novia?

—No — contestó secamente Margarito.

Luciano le devolvió el cigarrillo, que se apresuró a chupar el joven Pelocabra.

—Muchas gracias, hombre.

—No hay de qué.

Se quedaron los dos mirándose indecisos. Cuando iban ya a separarse, el mozo levantó la cabeza.

—Y usted, ¿también de ronda?

Luciano sonrió y, al afirmar con la cabeza, una sombra se le iba y se le venía de la frente a la boca.

—Casi, casi...

Entonces sonrió también Margarito. Sólo se le distinguía la blancura de los dientes porque la visera que le hacía la boina mantenía ensombrecido su rostro.

—Pues por aquí no hay viudas, que yo sepa.

El Negro cerró y estiró los labios. Después, dijo:

—No lo sé, pero hay mozas, hombre.

Margarito se puso el cigarrillo en los labios. Mientras hablaba, se caían de él briznas de lumbre.

—Pero las mozas son más propias para los mozos...

—Bueno. Eso es para ver. Todos somos hombres, Margarito.

—Eso es lo malo.

—¿Por qué ha de serlo?

—¡Qué se yo!

—No hay que apurarse. Hay para todos.

—Según.

Margarito chupó con fuerza y la lumbrarada del cigarrillo iluminó un instante su rostro. Así dejó al descubierto sus grandes ojos oscuros, y unas robustas mandíbulas con barba negra de varios días.

El Negro dejó sentir la superioridad de sus años y de su experiencia:

—Claro que sí, hombre. Si lo que abundan son mujeres... Y hay que estar chispo para pensar lo contrario.

—Pues yo pienso lo contrario y no estoy chispo, señor Luciano.

—Cuando tengas más años, ya verás.

—Eso dicen siempre los viejos.

—Y siempre tienen razón.

—¡Qué se yo!

Otra vez se miraron, enmudecidos. Después, dijo Luciano:

—Las cosas, al tiempo.

—Al tiempo pues.

El joven Pelocabra tiró la punta del cigarrillo, que describió una fugaz curva de luz. Y se despidió:

—¡Con Dios, señor Luciano!

—¡Vete con Dios, hombre!

Dejó Luciano que el mozo le precediese. Sólo se oían sus blandas pisadas y los chasquidos del pantalón. Y pronto Margarito se desvió por la primera bocacalle. Luciano le vio desaparecer sin quitarle la vista de encima.

Luciano prosiguió su camino. Ya el desnivel de la calle era más pronunciado. A derecha e izquierda, las casas parecían sostenerse unas a otras, enganchada la de abajo a la de arriba, y ésta, a su vez, a la de más arriba. Los balcones, con saledizos de roble, estaban vacíos, y sin luz todas las ventanas. Únicamente ardían, distantes y mortuorias, dos o tres bombillas municipales colgando de palomillas de hierro. Sonó lejos el pitido de un tren y Luciano se paró, estremecido. Se repitió el pitido, más lejos todavía, como un grito de mujer despavorida en la noche del campo, y el rostro del Negro se contrajo. Y empezó de nuevo a andar, pero con lentitud, pendulantes los brazos, ajeno a los ruidos, calle arriba...

En la pequeña estación de ferrocarril unas cuantas familias aldeanas despiden a los quintos, que se van a Melilla, en una mañana de primavera. La planicie parece un cuidado césped de tiernos trigos rizados por el viento. Y en la lontananza se perfilan los oscuros lomos de los montes sobre una luz de miel.

—¡Ay, Dios, que ya no te he de ver más! —dice la madre entre sollozos.

La madre es de color de tierra, parda como la tierra, y tiene arrugas negras en la cara y grietas en los labios cárdenos.

—¡Dios, que no te he de ver más!

—Calla, mujer, no seas agorera. Siempre no va a ser como en el Barranco del Lobo... —dice el padre, también pardo, también sarmentoso y lleno de arrugas negras. Pone una mano sobre el hombro de Luciano y agrega—: Con todos los nuevos que os juntáis, me pienso que el moro no va a encontrar terreno para correr. ¡Menuda zurra! ¡No le arriendo, no, las ganancias al moro!

Luciano está junto a su madre y la mira sin decir nada. Le está ancho y corto el pantalón de pana, estrecha la chaquetilla de dril. Cruzado sobre los hombros lleva el zurrón de piel de carnero, con dos hogazas morenas y unos trozos de tocino. A su lado, Pepe, un mocete descalzo, con pantalones ni largos ni cortos y en mangas de camisa, escucha, ve, no entiende nada, pero tiene lágrimas en los ojos.

Muchas otras madres que lloran en silencio, muchos otros padres hieráticos, muchos otros mozos acongojados. Todos del color del terruño, tierra amazacotada ellos mismos; todos tristes, perdidos en aquel trance confuso, arrastrados por un destino indescifrable.

Una mujer se lamenta:

—¡Dios mío! ¿Cómo nos vamos a arreglar ahora con un jornal menos?

Llega un hombre rodeado de chiquillos en fila. Uno de los niños enarbola una pequeña bandera nacional. El hombre tiene cara de ayuno, ropas de mendigo, pero es menos rústico aparentemente que los demás. Alzando la voz, dice:

—¡Tenemos que civilizar a los moros!

Le miran todos. Pepe dice a su padre:

—Padre, el maestro, que también ha venido.

Pero hay alguien que le contesta en alta voz también:

—¡Que los civilice la madre que los parió!

Tras el estupor, los gestos y los comentarios:

—¡Tiene razón el Felipe, qué ño!

—Pero hay que tener más respeto con el maestro...

—¡Jesús, y qué cosas!

De pronto, los quintos, como sacudiéndose la modorra y el atontamiento, empiezan a reconocerse y a llamarse, agitando algunos la bota de vino en el aire.

—¡Luciano!

—¡Perico!

—¡Eh, chacho!

Los padres sonríen, nostálgicos, y gritan:

—¡Qué órdigas tanto llorar!

—¡Vivan los quintos!

Algunas mozas, que ya parecen viejas, aplauden y chillan:

—¡Vivan!

Y los mozos vocean:

—¡María!

—¡Rita!

—¡Lo que te haría yo, chacha!

Pero se anuncia el tren con un pitido prolongado, y todos se agrupan instintivamente, como las ovejas. No hay tiempo que perder. Luciano se deja besuquear por su madre, que parece querer sorberlo y que le deja un rastro de saliva y de lágrimas. Luego, el padre le coge por el cogote hasta juntar las dos caras mientras su hermano se le abraza a la cintura. Se desprende de ellos y corre al tren, que se ha detenido. Los demás mozos lo toman por asalto, chocándose entre sí, golpeándose mutuamente con zurrones y botas. Las últimas palabras de su padre son:

—Cuando vuelvas no vas a conocer la huerta. Ya verás...

En seguida se asoman los quintos a las ventanillas del vagón de tercera. En el andén lloran las mujeres bajo los pañolones negros. Un haz de manos callosas se deshacen en el aire... De pronto, los quintos rompen a cantar y blanden los puños fanfarrones.

El tren arranca. Luciano ya no oye a su madre, pero aún puede leer en los movimientos de sus labios:

—¡Dios, que ya no le he de ver más!

Una nube pestilente oculta a los que se quedan y se oye el último grito, el del maestro:

—¡Viva España!

Luciano se detuvo. Frente a sí tenía un edificio de una sola planta, con un letrero: Escuela Municipal. Suspiró y se pasó la mano por los ojos. Luego, se acercó a la puerta de la casa contigua a la escuela. La puerta estaba entornada solamente. Empujó y entró.

El portal estaba totalmente a oscuras y Luciano se dirigió a tientas hacia su alcoba, cuya puerta comunicaba con el zaguán. La abrió y su mano recorrió el marco hasta dar con la llave de la luz y, al encenderse ésta, el hombre se quedó inmóvil, estupefacto. Sentada en el borde del lecho le miraba una mujer cubierta con una bata de percal de lunares rojos.

—Cierra con cuidado — le dijo la mujer poniéndose el índice sobre los labios.

Él se quedó un momento indeciso. Luego, se asomó al portal y escuchó.

—Todos duermen — dijo ella.

Entonces, el Negro cerró la puerta con mucho cuidado. Se apoyó después de espaldas en ella y miró a la mujer, foscos los ojos, midiéndola. Ella le sonrió.

—¿No te tengo dicho mil veces que me dejes en paz? — comenzó él a decir con ira.

—Sí, sí, pero ahora es diferente — susurró ella con voz que sonaba triste, dando unos pasos hacia él.

El Negro la miró a los ojos con rabia. Siguió un corto silencio en que sólo se oía la agitada respiración del hombre. Luego, éste dijo, con voz silbante:

—Si mi hermano se entera de tus manejos, te juro que te mato. ¡Te juro que te mato como a una perra!

—Pero tú eres más hombre que Pepe...

Luciano, volviéndose de espaldas a ella, le ordenó:

—¡Vete!

Rosa se mordió los labios. La sangre, en una fuerte oleada, coloreó su rostro hasta entonces pálido. Dio un irreflexivo paso hacia el hombre, le cogió un brazo y le habló con furia:

—¿Sabes lo que te digo? — y quiso inútilmente zarandearle —. ¿Sabes lo que te digo? — mas como él permaneciera impasible, cambió el tono y el acento, que ya fueron de ironía desgarrada —: Pues que es para morirse de risa pensar que quiera casarse con esa, con la Ilu, un hombre como tú, que presumes de tanto...

El Negro se volvió de un salto para descargar, de refilón tan sólo, una bofetada en el rostro de la mujer, que cayó sobre la cama. Y allí, medio desnuda, desparramados los cabellos, ella esperó. Un llanto profundo y sin lágrimas la hacía hipar y convulsionarse sobre el colchón.

Pero él no se dejó engañar. La enganchó de un brazo y la obligó a levantarse. Ella solamente tenía húmedos los ojos y una mejilla encarnada como una amapola.

A empujones la llevó hasta la puerta, y allí le repitió al oído:

—¡Te juro que te mato como a una perra!

Ella ya parecía un pelele, humillada hasta lo más íntimo. No le quedaban fuerzas ni para insultar. Tan irremediable desprecio del hombre la había aniquilado. Y se dejó echar de la alcoba como un fardo. Luego oyó que él cerraba la puerta y corría el pestillo. Entonces se sacudió el pelo hacia atrás y se cruzó la bata, anudándose el cinturón. Estuvo un momento inmóvil mientras su respiración se serenaba. Como conocía la casa palmo a palmo, se dirigió a oscuras a la escalera e inició su ascensión. Pero aún se detuvo un par de veces para cerciorarse de que su aliento era ya suave y pausado. Pasó después, sin detenerse, por la puerta de la habitación donde dormían sus dos hijos y alcanzó la alcoba nupcial. Alzó sigilosamente el pestillo y entró.

Olía a hombre y sonaba en la sombra el mosconeo de un discreto roncar. Pudo distinguir, sobre la blancura de la almohada, la mancha oscura de la cabeza de su marido. Y, sin dejar de mirarle, se despojó de la bata que lanzó a los pies del lecho. Entonces se dirigió a la cama en puntillas y trató de pasar una pierna por encima de su marido para no despertarle, pero le falló y cayó sobre él. José abrió los ojos sobresaltado.

—¿Eres tú, Rosa?

—Sí, soy yo — contestó ella en voz baja.

—Pero, ¿qué andas haciendo a estas horas?

—Calla, hombre; no grites.

Él tenía los labios resecos y le fallaba la voz. Rosa se deslizó bajo las sábanas, pero manteniendo fuera medio cuerpo.

—Vengo de hablar con Luciano. Se casa.

—¡Ah, vamos! Ya te lo dije yo.

—Ya te lo dije, ya te lo dije... ¿Es que no se te ocurre otra cosa? Vamos, que te quedas tan tranquilo, ¿no?

—Pero, ¿qué quieres que yo le haga, mujer?

José sentía el aire caliente de las palabras de su mujer en el rostro. Y la entreveía oscuramente encima de sí: claror de carnes y dientes y negror de pelo...

—Que qué quiero que hagas, ¿eh? Pues anda: dejar que el dinero de tu hermano se lo lleve esa lagartona con sus manos limpias. ¡Apañados van a quedar tus hijos!

—Pero, mujer...

—¡Mal padre! Eso es lo que eres: un mal padre.

—Mis hijos me tienen a mí siempre...

Ella guardó un hostil silencio.

—Está bien, está bien — gruñó José, malhumorado y dando una vuelta rápida en la cama.

Crujieron los colchones. Después, reinó el silencio. Rosa, que se había echado sobre la mejilla castigada, mantenía los ojos abiertos. Hubo un momento en que lloró silenciosamente. Pero se durmió al fin, después de escuchar muchas horas en el reloj de la iglesia, acunada por el roncar discreto de José.

* * *

Luciano no dormía. Después de probar todas las posturas posibles no había logrado atrapar el sueño. Luciano gimió y se revolvió una vez más. Sonó el quejido de los viejos muelles de la cama y sonó también el quejido de su pecho:

—¡Dios!

Cerró los ojos con fuerza y, de un manotazo, lanzó a los pies el cobertor y las sábanas. Su respiración era resollante, como la de un animal poderoso después de una carrera. Y él era un animal poderoso en lucha desesperada consigo mismo. Quería quebrarse. Y chascaban las articulaciones de sus dedos...

—¡Dios, Dios, Dios! — suplicó de nuevo.

Ella le mira con sus grandes y tristes ojos. Y le dice con voz ceceante y dulce:

—Quiero quedarme a trabajar aquí, en su casa.

—¿Qué sabes hacer?

—Bailo.

—¿Qué bailas? ¿Qué?

—Bulerías, zambras... Todo lo de mi tierra.

—¿Y nada más haces que bailar?

Ella le mira de nuevo a los ojos y responde:

—No me gusta nada más que bailar.

—Bien. ¿Y cómo te llamas?

—Milagros. Y me dicen la Gaditana.

—Bien. Quédate.

Ella le sonríe y luego su sonrisa crece cuando baila en el café delante de aquellos borrachos y jugadores. Pero entonces su sonrisa refleja una tristeza lejana, como si viniera a sus labios desde una noche muy profunda y muy distante. Los movimientos felinos y sinuosos de sus danzas trascienden asimismo una tristeza cansada, de caderas y senos abandonados tiempo ha por los temblores vivos de los deseos.

Un hombre alarga una mano hacia su cuerpo y ella huye. Y Luciano sonríe, complacido. Así muchas veces. Los hombres rugientes la aclaman, la aplauden, la piden. Pero ella huye, y Luciano sonríe complacido. Así muchas veces. Cuando se va el último hombre, los dos se quedan frente a frente.

—Ya he visto que sólo te gusta bailar — dice él.

—Ya se lo dije — contesta Milagros, y desaparece tras la puerta.

Él duda, pero, después de apagar las luces del salón, se va a la trastienda de su pequeño comercio, llevándose la bolsa de los cuartos. Los cuenta allí, con el rifle en la mano, y después guarda la bolsa de cuero bajo el colchón. Se sienta en el catre, a oscuras y solo. Hace mucho calor, un calor irresistible. Y él se siente desasosegado, más desasosegado que en ninguna otra noche calurosa. No puede más. Se ahoga. Y se levanta. Todavía está a medio desnudar. Y así sale al pequeño jardín. Entonces oye un chapoteo en el agua del pilón. Da unos pasos hacia allí, apercibido, pero le detiene el grito ahogado de una mujer que se ha puesto en pie desnuda y que trata inútilmente de cubrirse con las manos. Brilla ella como un nardo con luna en aquella noche morena y sin límites. Sin saber cómo ya está junto a ella, que le mira con temor:

—Es que sudo mucho bailando y no puedo dormir si no me baño antes — se excusa la mujer, dulcemente, como una niña.

Él la mira sin hablar, sintiendo que sus ojos se llenan de mujer, como cuando en la noche la luna llena ocupa todo el cielo.

—Creí que nadie me oiría... — vuelve a decir ella, temblando.

Pero él no la deja terminar. La coge en brazos. Aún suena el agua rasgada por sus pies. Y él dice:

—Sólo bailarás para mí. Ya no serás más la Gaditana*...*

Y corre con su presa que escurre agua limpia y que huele igual que la noche cuando revienta en nardos...

Luciano, jadeante, se puso en pie de un salto. Y, golpeándose con los bordes de la cama, corrió a tientas hacia el aguamanil. Casi tiró la palangana de un zarpazo... Cogió la jarra de porcelana, rebosante de agua fría, y se la volcó sobre la cabeza. La impresión le cortó el resuello hasta recibir la última gota. Después, le llegó una calma repentina. En la alcoba sólo se oía el goteo del agua sobre el charco formado a sus pies.

—¡Qué calentura, Dios!

Tiritaba.

LA MAÑANA

I

Le dije que aquí levantaría mi casa y así ha sido —la luminosidad bravía de la mañana le obligaba a encoger los párpados—. Ahí se lo dije, sentados los dos en ese tronco, la misma tarde en que le pedí su hija...

Luciano señalaba con el índice el viejo tronco abatido cerca del muro de la casa. Luego se volvió a su hermano y quedó recortado su perfil contra el fondo de luz de la ventana. José, más bajo y más grueso, no acusaba un perfil tan agudo.

Desde la ventana veían, a la izquierda, el pueblo descendiendo hasta el llano y, a la derecha, el bosque incipiente trepando hacia las alturas. Sobre el llano, envuelta en una nube de polvo y de luz difusa, se distinguía la pequeña estación de ferrocarril.

Luciano preguntó, después de haber contemplado un momento a José:

—¿Qué te parece, hermano?

El interpelado afirmó con la cabeza y contestó:

—Ya veo que te has salido con la tuya. Me alegro de veras.

—Levanté la casa y esta tarde me casaré con Iluminada. ¿Has visto qué guapa estaba en la misa? ¡Buena baza! —y se volvió otra vez a mirar el punto lejano de la estación del ferrocarril.

—Sí, una buena baza—dijo José como un eco.

Siguió una pausa. Luego, Luciano giró bruscamente sobre sí.

—¿Y ésto? — dijo señalando los muebles esparcidos por la sala: frente a una chimenea de salón, dos enormes butacas; otro tresillo en un rincón, con una mesita en el centro; un escritorio con incrustaciones doradas, cuadros, cortinas...

José permaneció callado. Y el Negro insistió:

—Dime, ¿qué te parece todo esto?

José contestó sin entusiasmo:

—Que es mucha riqueza.

—No tanta, hombre, no tanta — y el Negro cogióle afectuosamente de un brazo —. Ahora verás...

Cruzaron la sala y salieron a un pasillo. Enfrente había una puerta cerrada. El Negro, con la mano en el pestillo, explicó:

—No he querido que nadie viera esto hasta que todo estuviera colocado en su sitio según mi gusto. Iluminada ni se lo figura siquiera... — y guiñó jovialmente un ojo —. No creas, he tenido que hacer un gran esfuerzo todos los días para no decírselo, pues no hacía más que preguntar y preguntar... Ya sabes como son las mujeres...

La alcoba estaba a oscuras y José se quedó en el umbral mientras Luciano descorría los pesados cortinajes que ocultaban las vidrieras. Éstas daban a una terraza, clavada en el talud rojo del monte, como un puente entre la casa y el pinar. Al instante la luz irrumpió inundando la estancia de una alegría tumultuosa y vivificante, y entonces José pudo abarcar de una sola mirada el contenido de la alcoba: un gran lecho matrimonial con dosel, mesitas de noche, un tocador refulgente de cristales preciosos... Del techo pendía una gran araña entre cuyos colgantes de cristal la luz se quebraba en mil reflejos cegadores. Asimismo pudo apreciar la espesa alfombra que cubría el suelo. Frente a la cama, un espejo ocupaba todo el lienzo de pared, dando la impresión de otra habitación igual, inacabable.

Luciano se acercó al espejo y empujó en la parte central del mismo. Y, mágicamente, el espejo giró sobre sí y dejó a la vista un cuarto de baño de color verde jade.

José había puesto cara de asombro. Sus ojos oscuros eran casi redondos y se le aglomeraban grasas temblonas bajo la barbilla.

—¡Eh! ¿Qué tal? — y Luciano le miraba con aire de triunfo, casi como un prestidigitador.

—Demasiado, demasiado...

—¿Qué estás diciendo, hombre? — le interrumpió Luciano —. ¿Demasiado? ¿Por qué?

Le acercó una butaca y le obligó a sentarse en ella. José lo hizo con sumo cuidado y sin cambiar su expresión abúlica característica en él. Luciano también se sentó en otra butaca.

—¿Es que no puede uno darse un gusto en la vida, José? Bastantes fatigas me ha costado alcanzar todo esto. Yo creo, vamos, que lo he pagado bien: veinte años en África ahorrando duro a duro... Ahora el sueño es verdad. ¿No te das cuenta?

Eran sus palabras como una afectuosa apelación al buen criterio de su hermano. Pero José parecía más bien cansado, aburrido.

—Claro que me doy cuenta, Luciano, claro que me doy cuenta. Pero me parece que... Bueno, cada uno puede hacer lo que quiere con su dinero...

Luciano meneó la cabeza. Y su voz perdió el tono alegre y exaltado al decir:

—No. Veo que no te has dado cuenta de lo que todo esto — y describió un semicírculo en el aire con el brazo extendido — significa para mí. Yo no me he estado tanto tiempo en un país como Angola para amontonar más o menos dinero. Dinero... ¿para qué? ¿Para cambiar luego un billete de mil pesetas cada día en el pueblo? ¿Para prestarlo a los demás con usura? No. Yo no soy de esos. Yo aguantaba allí, y aguanté tanto tiempo, para poder vivir un día como a mí me diese la gana, para poder darme la vida que otros se daban y a la que yo también tenía derecho según mi pensar. ¿Es que tú ya no te acuerdas de la casa de nuestros padres?

Los dos hermanos se miraron a los ojos y cada uno sorprendió una sombra de tristeza en los del otro.

—Claro que me acuerdo... ¿No me he de acordar?

—Pues entonces...

—Es que esto a tu edad... Estás como un chiquillo.

—Claro que lo estoy. ¿Y qué tiene eso de particular?

—Hombre... — y José se encogió de hombros.

Luciano puso una mano sobre un brazo de José.

—Mira, José: ¿te acuerdas del día en que me fui a la *mili*? A mí se me ha representado muchas veces aquel cuadro.

—Cuando yo me fui era peor. Padre ya no podía trabajar, y, si no hubiera sido por el dinero que tú mandabas, a pedir se hubiera tenido que echar...

—Bien. Pero no es eso — le interrumpió Luciano —. Es que yo, mientras el tren andaba e iba perdiendo de vista a madre, que se quedaba llorando, me decía: "Mientras no sea rico, no vuelvo. Mientras no sea rico, no vuelvo..." Después, el ruido de las ruedas me lo fue repitiendo durante todo el camino. Y cada vez que oigo el pitido de una locomotora cuando estoy solo se me representa todo aquello y me acuerdo de la promesa que yo mismo me hice...

Calló mirando distraídamente hacia el incendio de las vidrieras. José tenía los ojos fijos en los arabescos de la alfombra. Fuera sonó el rebuzno de un asno.

—Esto significa, José, que he cumplido la promesa que me hice...

Como José no replicara, Luciano, dándole una palmada en el muslo, siguió diciendo:

—Y chiquillo, tanto como chiquillo, no. Pero mozo aún, sí. Me siento mozo, ya lo creo. Amigo mío, cada uno llega cuando puede. ¡Qué más hubiera querido yo que alcanzar esto cuando lo ancanzan otros! Pero tuve que fastidiarme y esperar año tras años, viendo cómo en mi cabeza iban asomando las canas... Para unos, todo es fácil. Tú mismo te casaste en la edad propia, después de acabar tu carrera, cuando ya estabas encarrilado. Rosa era una muchacha de tu gusto, de tu raza, de tu clase, elegida entre cien. Una muchacha virgen — volvió a mirar lejos e hizo una pausa. Luego, continuó —: Pero para mí, todo fue difícil. Es que cada uno nace con un sino. Y que no te lo puedes quitar de encima. ¡Ca! Es como si fueras nadando y sintieras que una mano te coge por el cuello, y que unas veces te hunde y otras te saca a flote, cuando estás a pique de ahogarte. Tú braceas, das patadas, te esfuerzas... Tú quieres sacudirte la mano esa. Pero no puedes. Claro que, si no luchas, te ahogas... —meneó la cabeza —. No sé si me explico bien... — y se quedó mirando a José con una amarga sonrisa en los labios.

José sonrió también forzadamente y dijo:

—Bueno. Nunca es tarde si... ¿Qué más quieres que te diga?

Luciano aceró los ojos.

—Cualquiera diría que te he robado algo, José.

José dio un salto en la butaca.

—Luciano, hombre, ¿por qué dices eso?

—Porque no te veo muy alegre con todas estas cosas.

José se pasó la mano por la barba.

—Es que no sé por qué todo esto de tu boda me da muy mala espina — dijo mientras se miraba la punta del pie con que aplastaba algunos dibujos de la alfombra.

—No dirás eso por Iluminada, ¿eh?

—No hombre, no — y levantó sus ojos hacia el Negro.

—Entonces... — y en el rostro del Negro no se había desvanecido del todo la súbita tensión.

—Es que me parece un derroche.

—Será de mi sudor.

—Claro, pero te lo tomarán a mal.

Luciano apretó fuertemente el brazo de José.

—¿Quién me va a tomar a mal que haga lo que me da la gana?

José sonrió con un asomo de desdén.

—Parece mentira que no lo comprendas, hombre: toda la gente del pueblo.

Luciano soltó el brazo de José y exclamó con acentuado desprecio:

—¡Bah!

Fue entonces José quien cogió del brazo a su hermano.

—Mira, Luciano: aquí se mira mal todo lo que no es corriente. Yo los conozco muy bien.

—¿Y qué? No creas que es nada nuevo y extraordinario. Eso mismo pasa en todas partes.

—Puede, pero tienes que tener en cuenta una cosa... — miró a los ojos a su hermano y siguió, tras una leve pausa —: Tú eres forastero aquí. Llegas un buen día y, sin más ni más, te empeñas en casarte con una muchacha del pueblo, cosa nunca vista. Pero no es eso todo. Es que eres viudo y casi doblas la edad a la novia, y, para que la cosa no pase inadvertida, te preparas una boda por todo lo alto, como no se recuerda otra boda en el pueblo, y construyes tu casa, la mejor, encima, como si dijéramos, de las demás... Eso para esta gente es el *inri*... Es como si les gritases a la cara: "No me importáis un pepino".

—Y no me importan — replicó vivamente Luciano —. Bueno, no me importan sus ridiculeces, su tacañería ni su atraso.

—Serán como tú dices. Conforme. Y eso es lo grave: que sean como son. Tú no olvides que no se conoce, desde hace qué se yo los años, que una moza de aquí se haya casado con un forastero. Esto es para ellos una cuestión de honra casi.

—Déjate de honra, Pepe. Por la dichosa renta de los pinos.

—Es igual. Ya sabes que con la renta de los pinos se pagan todos los gastos del Ayuntamiento y lo que sobra se reparte equitativamente entre todas las mujeres del pueblo. Quiere ello decir que cada hembra tiene asegurada una renta mientras viva.

—Pero si eso mismo me lo tienes repetido cien veces...

—Espera, espera. Ese hecho ha dado nacimiento a una costumbre, y es la de que las hembras del pueblo sean únicamente para hombres del pueblo también. Algunas se quedan solteras por falta de hombres, ya ves tú. Y se aguantan antes de casarse con un hombre de fuera. Pero es que, si no, hubiera llegado un momento en que más de la mitad, por lo menos, de esa riqueza habría ido ya a parar a otros pueblos. ¡Quién sabe! Contra ese peligro precisamente ha nacido la costumbre que has venido tú a saltarte a la torera.

Luciano había escuchado la remachona exposición de José con una mal disimulada impaciencia.

—¡Pero si lo que yo quiero es que Ilu renuncie a su parte! —exclamó—. Tú bien lo sabes.

José meneó la cabeza y repuso, monótonamente:

—Es que no quieres enterarte que de lo que en realidad se trata es de salvar la costumbre que los defiende. Y hay más...

El Negro cruzó las manos, apoyados los codos sobre los brazos de la butaca, echó hacia atrás la cabeza y cerró los ojos.

—Queda la ofensa a los mozos por ser tú viudo, hombre.

—Eso ha sido cosa de Iluminada —dijo entonces el Negro sin abrir los ojos y sin moverse—. Ella me ha preferido a mí. ¿Qué culpa tengo yo?

Callaron los hermanos y se sintió un gran silencio, ese silencio de las mañanas pueblerinas, perezosas, como una boqueada de aburrimiento. Los únicos ruidos intermitentes eran los cacareos de las gallinas en los corrales, el sonsonete de las mujeres sacudiendo las sábanas en los balcones... De cuando en cuando, la llamada a un crío, el ladrido de un perro, el latigazo de algún vozarrón de hombre soltando un juramento... Y, en un momento, un solo chillido, un chillido desnudo y penetrante...

José había empezado a sudar y tuvo que pasarse el pañuelo por la frente. Contempló con sus ojos bovinos el rostro de su hermano y meneó de nuevo la cabeza.

—Claro que por algo te ha preferido a ti la muchacha — y esperó a que sus palabras tuvieran la virtud de romper aquella actitud del Negro, distraída e indiferente —. Todos dicen ya que por tu dinero...

Pero la temida explosión del Negro no se produjo. Luciano se contentó con sonreír sin cambiar de postura.

—No está mal, hombre. Tienen derecho a pensar lo que quieran. Ellos se creerán con más méritos como hombres por ser más jóvenes que yo. Bueno, que se lo crean. A mí no me ofenden con eso. Cada uno tiene lo que tiene: ellos, mocedad; yo, dinero. Bueno. Así se conformarán. Peor sería que se diesen cuenta de que hasta en el terreno de la verdad soy capaz de ganarles también el tirón...

Y cloqueó por lo bajo. José frunció las cejas.

—Pues allá tú, Luciano. A mí sigue dándome mala espina todo esto. Y más: que aquí una boda, sea la que sea y como sea, siempre trae trastornos. La gente se pone como loca. Las muchachas se salen de madre y los mozos se excitan como machos cabríos... ¡Qué sé yo! — Hizo una pausa y agregó —: Ya sabes lo que le hicieron al Pote... Pero en un pueblo de al lado fue aún peor...

Pero Luciano no preguntó nada. José prosiguió:

—¿Sabes lo que hicieron? — y miró a su hermano de hito en hito, pero Luciano no parecía demostrar interés alguno por el relato —. Pues entraron en la alcoba nupcial a la hora o cosa así de haberse acostado los novios, echaron fuera de la cama a la mujer y a él lo liaron en el colchón, que ataron con fuertes cuerdas. Entonces lo remojaron con aguardiente y lo echaron en medio de la calle. Era enero y estaba helando... Y, cuando a los gritos de la novia, que voceaba en el balcón medio desnuda, acudieron los familiares y los amigos del novio, tenía éste ya encima una pulmonía más que regular. Y se tiró casi un mes en cama entre que si me voy o que no me voy...

Luciano rompió en una carcajada. Rio hasta saltársele las lágrimas, sin poder casi hablar entre acceso y acceso de risa. José, asombrado, no alcanzaba a comprender la razón de tal desahogo.

—¡Qué badanas! ¡Qué badanas! — exclamó el Negro entre carcajada y carcajada —. Mira que dejarse coger de esa manera... ¡Dios, qué badanas! — y se quedó callado con la boca abierta. La risa se le había escapado por allí inesperadamente.

—Es que eran muchos contra uno — trató de explicar José.

Luciano se había quedado repentinamente serio. Achicó los ojos y habló como si se dirigiera a todos los mozos del pueblo.

—Si a mí me lo llegan a hacer... — Sonrió agriamente —. Bueno, conmigo no se hubieran atrevido... — Otra vez serio y cerrando los puños, añadió —: Si lo intentaran... Si tuvieran reaños suficientes para meterse de esa forma conmigo... Mira lo que tengo allí, José — y le señaló un tubo acerado que se entreveía oscuramente junto a la cabecera del lecho.

José se estremeció y preguntó, después, temiendo acertar:

—¿Tu... rifle?

—Sí. En Angola dormía con él. Y con él maté al borracho que asesinó a Milagros.

El Negro se había excitado. Otra vez se le endureció

la expresión y José pudo ver su perfil, agudo como un cuchillo.

El tubo de acero era como un testigo mudo y terrible, como un guardaespalda rápido y sin conciencia. José miró a su hermano con miedo.

—No te dejarás llevar por un arrebato, ¿eh?

Luciano se miró los pies y contestó con voz quebrada:

—No lo creo. No hará falta usarlo, pero es bueno tenerlo. En el pueblo dicen que maté muchos negros, que maté negros como si matara conejos... Eso quizás valga para que no se atrevan...

—Pero si te gastan una broma...

Luciano levantó la mirada y la clavó en los turbados ojos de José.

—¿Una broma? — dijo —. Según lo que tú y ellos entendáis por una broma.

—Es menester un poco de correa para estos casos...

—Correa tengo mucha. Ahora que según.

—Pues puede que te den una cencerrada. Es casi seguro que te la darán. Y hay algunas que duran seis o siete días...

Luciano se encogió de hombros y José continuó:

—Y cantan coplas alusivas, no muy decentes que digamos.

—Ya he pensado en todo eso. ¿Para qué crees que he mandado poner la fuente de vino? ¿Para qué crees que he contratado los músicos? A esos fulanos me los emborracho yo, y los mareo y los aturdo con los cohetes y el vino... Y como mañana por la mañana nos marcharemos y ya no apareceremos por aquí lo menos en un mes... Cuando regresemos se habrá pasado ya la polvareda y las cosas volverán a marchar con la rutina de siempre... ¿No te parece a ti?

—¡Ojalá! — exclamó José, no muy convencido.

—Ya lo verás, hombre. Para algo me servirán la malicia de los años y el dinero...

José, como si se le hubiese ocurrido de pronto una idea luminosa, le dijo, con una vehemencia insólita en él:

—Oye: ¿por qué no te vas esta misma noche? Cuando estén todos enfangados en la juerga, te largas. Así, cuando quieran apercibirse, se encontrarían con que el pájaro ha tomado las de Villadiego.

—Pero eso es tanto como escurrir el bulto, tanto como huir ...

—¡Bah! Nadie te lo tomaría en cuenta y, en el fondo, todos se alegrarían de que lo hicieras así y evitaras una cuestión.

Luciano movía la cabeza de arriba abajo lentamente. Dejó pasar unos segundos antes de replicar, como si lo estuviera pensando muy bien, y luego lo hizo mirándole casi infantilmente y levantando las manos:

—Eso no puede ser, José. La primera noche con mi mujer la he de pasar en mi casa, y ella ha de ser mía en mi cama y no en una alquilada, con sábanas sudadas sabe Dios por quién... ¿No lo comprendes? Lo tengo pensado así desde el primer momento. ¿No lo comprendes?

Pero José se encogió de hombros y dijo:

—Está bien. Dios quiera que no haya nada que lamentar. Pero yo hubiera preferido que te marchases hoy mismo, después de la ceremonia.

Mas los ojos de José fueron a parar involuntariamente al cañón del rifle y se sobresaltó de nuevo. Se volvió rápido a su hermano y le rogó:

—¡Márchate por lo que más quieras! A fin de cuentas, todo eso que tú te has urdido con la casa y la cama no es más que una niñería. Todo el mundo, en estos tiempos de ahora, se marcha en viaje de novios nada más terminar de casarse...

—Es inútil, José. No me marcharé hasta mañana. Los demás hacen eso, lo sé, pero quizás porque no les haya costado tanto como a mí tener una casa y una cama como las que tengo yo. Yo he pensado siempre que esta noche tenía que ser... Cuando la primera vez no pude hacerlo de esta manera... Fíjate.

Se levantó y se dirigió donde el espejo. Esta vez manipuló en uno de los laterales del mismo. El espejo cedió y dejó al descubierto un armario empotrado en el muro. Dentro de él se veían colgadas ropas de mujer. Luciano introdujo su mano y sacó hacia fuera un puñado de telas finísimas.

—Camisones de encaje, los más preciosos que he encontrado, batas, pijamas, toquillas... Quiero verla vestida con todo esto. Ella entre encajes... ¿me comprendes? Una verdadera noche de novios debe ser así, creo yo. Y en un hotel no... — Miraba a su hermano con una desconocida expresión soñadora —. Anda, ven y toca esto.

Mientras José se levantaba torpemente, Luciano estrujaba las telas entre sus dedos, exclamando:

—¡Seda! Seda pura. Conozco muy bien la seda y ésta lo es pura, te lo digo yo.

José tocó las telas preciosas que le mostraba su hermano, pero su caricia fue corta. Otra vez su rostro se había entenebrecido. Puso una mano sobre el hombro del Negro y le dijo:

—No te quería decir una cosa.

Por los ojos de Luciano pasó una ráfaga de duda.

—¿Qué?

—Lo de la copla.

Luciano hizo un gesto de extrañeza.

—La de Pelocabra, hombre, la que ha estado corriendo esta noche por todas las esquinas del pueblo como una amenaza.

Las telas se escurrieron por entre los dedos de Luciano.

—La he oído yo también — dijo gravemente.

—Pues ya sabrás lo que significa. La ha cantado Margarito en nombre de su hermano Isabelo seguramente. Puede que venga Isabelo y entonces, entre él, Margarito, sus parientes y amigos, tratarán de armar la gorda.

El Negro había recobrado su frialdad característica.

—Hablaré con el viejo Pelocabra.

—Será inútil.

—Me debe dinero.

—Si acaso por eso... Aunque no sé, no sé...

—Puedo dejarlo en la calle. Y lo haré si dan un solo paso adelante. Margarito es una bestia sin ninguna clase de luces. A Isabelo no lo conozco, pero será del mismo pelaje, me pienso yo. Los Pelocabra no tienen por qué darse por ofendidos ya que fue Isabelo quien dejó a Iluminada.

—Sí, fue él quien la dejó. Ya hace dos años, puede que más, que falta del pueblo. Pero no es como Margarito. Es mucho más espabilado que su hermano.

—Pues, si no es tonto, mejor. Yo he temido más a los tontos siempre.

—Pero si viene hoy será por algo.

—¿Y quién sabe si vendrá hoy?

—Margarito lo anda diciendo por ahí. Y la copla de anoche...

El Negro se quedó pensativo mirando las telas que pendían inmóviles.

—Iré a ver a Pelocabra de todas maneras. Y si viene Isabelo y quiere algo, estoy dispuesto a ventilar con él la cuestión, cara a cara y rápidamente. De hombre a hombre, sin mezclar a nadie. Es lo mejor.

—No te dará la cara si trae malas intenciones.

—Pues iré a buscarle yo.

—De todas maneras, malo.

Luciano se encogió de hombros.

—¡Qué se le va a hacer! —dijo—. Si hay que coger al toro por los cuernos, se le coge y en paz.

—¿Y las consecuencias, hermano?

Luciano, que cerraba ya las puertas del armario, se volvió rápidamente.

—¿Las consecuencias? — dijo con desabrimiento y repitió —: ¿Las consecuencias? Si fuera uno tan mirado siempre por las consecuencias, tú y yo estaríamos destripando terrones en el pueblo todavía. Hay que evitar el peligro todo lo que se pueda, pero cuando no hay más remedio, se apecha con lo que sea y adelante.

José bajó la cabeza y Luciano le miró desde su superior estatura con aire de conmiseración. Y le dijo con voz más suave:

—No pasará nada, hombre. Ya lo verás.

—¡Quiera Dios que no te muerdan, Luciano!

El Negro terminó de cerrar el armario. Luego fue a correr las cortinas y la habitación quedó de nuevo a oscuras. José, mientras tanto, sacó la petaca y chascó la lengua.

—Tengo la lengua como la estopa — dijo.

—Ahora fumaremos, pero no aquí dentro porque mancharíamos. Además, quedaría estancado el olor del tabaco — replicó Luciano vuelto de espaldas a él.

José suspiró. Después, Luciano, una vez terminada su faena, le echó un brazo por los hombros y le dijo cariñosamente:

—Y no te preocupes por tus hijos. De ellos me encargo yo. Les pagaré los estudios hasta que sean mayores... aunque yo tenga hijos también. Díselo así a Rosa.

—Ella — murmuró José —, ella...

—Sí, las mujeres piensan siempre lo peor.

Echaron a andar. Al cruzar el umbral de la alcoba, dijo el Negro:

—¿Sabes a quién echo más de menos hoy? A madre. ¡Cuánto daría yo porque pudiera ver todo esto!

—Y padre también.

—Madre más.

En la escalera, amplia y majestuosa, se detuvieron a liar el tabaco. Ya no hablaban. En el portal encendieron los cigarrillos y Luciano fue cerrando, una a una, las puertas de todas las estancias que daban al zaguán: la de la cocina, al estilo del país: con lar de morillos, trébedes y caldero, estrado y banquetas y, como detalle moderno, con un fogón de hierro y níqueles adosado a un lateral; la del comedor, de muebles oscuros y lozas claras, y la de la panera o cuarto de trabajo de las mujeres.

Al llegar al exterior, y después de cerrar cuidadosamente la puerta de la casa, el Negro indicó a su hermano la tapia del jardín a medio hacer todavía. En un rincón se apilaban tablones de andamio, picos y cubos.

—Mientras estemos de viaje tú te encargarás de meter prisa a los albañiles para que rematen esto antes de que volvamos. Si no, tenemos faena hasta el invierno.

José no contestó, fija ya su atención en un hombre alto y delgado cuyos ojos parecían dos heridas sangrantes, que se había detenido en medio de la cuesta y los miraba silenciosamente.

—Ahí tienes a Pelocabra — dijo al Negro por lo bajo.

Luciano frunció el ceño y achicó los ojos. En un principio se le contrajeron los músculos del rostro, pero, a medida que se fue acercando a él, comenzaron a relajársele al tiempo que se le asomaba a los labios una leve sonrisa.

—¡Hombre, señor Vicente! — y Luciano, abriendo bastante el compás de sus piernas, se plantó delante de aquella extraña figura.

Era imposible descifrar el enigma de aquellos ojos sanguinolentos que desparramaban la mirada por los lados. Los labios de aquel hombre se movieron como si musitara una inaudible salutación, y por su enjuto y largo cuello, hendido de arrugas, subió y bajó precipitadamente la nuez de Adán.

—Precisamente quería hablarle — siguió diciendo el Negro mientras su hermano se le juntaba silenciosamente.

Las manos de Pelocabra temblaron y su boca se abrió

dejando a la vista cuatro colmillos negros. Como si la voz se le enredase en la garganta, dijo quedamente:

—Usted manda, señor Luciano.

Levantó la insegura mano derecha y se echó un poco hacia atrás la parda boina. Y después de mover los labios en silencio, murmuró:

—Tenía pensado pagarle algo para San Miguel...

Luciano meneó la cabeza. Se agrandó su sonrisa.

—No se trata de eso ahora.

El rostro de Pelocabra permaneció impasible. Sus ojos seguían siendo dos bolas rojas sin expresión. Movió otra vez los labios y no dijo nada.

Luciano, sacudiendo la ceniza del cigarrillo, y sin mirarle, dijo con indiferencia:

—Quería hablarle del Margarito.

Las manos de Pelocabra se cerraron y temblequearon sus puños. Mientras, la nuez subía y bajaba.

—Anoche cantó una copla que no está bien — prosiguió Luciano, clavando su mirada en aquellos ojos espeluznantes —. No creo que tenga motivos... ¿Qué piensa usted de eso?

Pelocabra carraspeó largamente. Parecía que fuera a darle un fuerte golpe de tos pues hubo de doblar la cintura hacia adelante. Sin embargo, todo acabó en un salivazo parsimonioso, casi ritual. Y, luego de enderezarse y de pasarse el dorso de la mano por los labios, dijo:

—No he oído nada, señor Luciano.

—Pues la ha oído todo el pueblo.

—Puede, pero yo, no. ¿Y qué decía, señor Luciano?

—Casi un desafío. Vaya, un desafío. No creo que a él, ni a nadie, le importe que yo me case hoy con Iluminada, la del Trucha. Como a mí tampoco me importa saber que fue novia de su Isabelo.

Pelocabra se remetía la faja negra, que se le había soltado por un extremo, desviando así sus ojos de los de Luciano. Y exclamó en voz baja:

—¡Qué astucia!

Luciano hizo un gesto de sorpresa.

—¿Astucia? — preguntó, irritado.

A Pelocabra no le era fácil, al parecer, recogerse bien la faja.

—¡Qué astucia! — repitió.

—Pero, ¿qué diablos quiere decir con eso, señor Vicente?

El viejo se volvió a mirarle. Seguían temblándole los labios.

—Referente al muchacho — dijo lentamente —. Mi Margarito no concuerda muy bien, se me figura a mí.

Volvió a carraspear Pelocabra. Luciano, después de un vano esfuerzo para adivinar el sentido de las incoherencias del viejo, endureció el acento de sus palabras, dichas en tono seco y sin sonrisa:

—Pues que tenga cuidado con la lengua y, sobre todo, con lo que hace. ¿Me entiende? — Pelocabra le oía sin inmutarse, como si le hablaran en un idioma extraño, ininteligible para él —. Y por lo que se refiere a Isabelo... Si viene y quiere algo conmigo, estoy dispuesto a solventar la cuestión con él rápidamente, de hombre a hombre. Vamos, si es que tiene alguna cuestión que solventar conmigo.

Pelocabra movió negativamente la cabeza mientras sus labios pespunteaban un morse indescifrable. El Negro aún esperó que dijese algo, pero el viejo no hacía otra cosa que mirarle, mudo e impasible como una estatua ciega. José tiró de un brazo de Luciano.

—Vámonos. No conseguirás arrancarle una palabra más. Y, dirigiéndose a Pelocabra, añadió: —No olvide usted, señor Vicente, que mi hermano puede mucho. No le conviene a usted ponerse a mal con él... Hala, Luciano.

Se fueron los dos hermanos sin despedirse del viejo. Éste giró un tanto sobre sus pies para seguirles con su mirada roja e imprecisa. Luego, se subió los pantalones, tirando de ellos con ambas muñecas, y tornó a su lento caminar, murmurando:

—¡Qué astucia!

Y sus labios temblaban y su mirada sanguinolenta se desparramaba por los lados...

II

HABÍAN erigido un trípode de altos postes junto al gran nogal de la plaza. De la cabeza del trípode pendía una polea, y unos hombres aparejaban debajo de ella una cuba con gruesas sogas. Una bandada de chiquillos se agolpaba en torno al artefacto, estorbando a los hombres en su faena.

—Baja el gancho, que me parece que las sogas están ya bien prietas — dijo uno y, entonces, los dos que sostenían el rollo de la polea dieron cuerda y empezó a descender un fuerte gancho de hierro.

—Lo que es hoy van a tocar a borrachera general. Aquí se chispa hoy hasta el copetín.

—Pues claro.

Y otro de los hombres dijo:

—El tintejo este va a acabar con la función.

Chirriaba la polea. Los hombres siguieron haciendo comentarios mientras espantaban de vez en vez a los tozudos muchachos, decididos a trepar por los postes.

—Pues mira tú: eso es lo que quisiera el Negro.

—Oye, Martín: ¿qué te ha parecido la copla de anoche?

Martín se le quedó mirando en silencio y el otro cantó en voz baja:

> Pelo de cabra has tenido.
> Pelo de cabra tendrás.
> Que los pelos de esta cabra
> nadie los puede arrancar.

Lucio acabó la copla riéndose. Los demás le hicieron coro. Un muchacho gritó:

—¡Iá!

Martín, que tenía alzada la mano en busca del gancho de la polea, contestó gravemente:

—¿Que qué me parece? Pues que tiene demasiado picante. Alguno puede que se tenga que estar rascando toda la vida...

Cogió el gancho y tiró fuertemente de él. Martín tenía la cara angulosa. Era mimbreño, con una mirada y unos gestos vivos y desembarazados. Rondaría los cuarenta años. Vestía el pantalón de los albañiles y en su tono y en sus ademanes dejaba traslucir su hábito de mandar en el trabajo.

—Yo creo que ese Margarito se está saliendo de la linde — continuó diciendo mientras pasaba el pico del gancho por bajo de las ataduras con que habían cinchado la cuba —. Con hombres como el Negro no se juega. ¡No se le arrugan al Negro, no, tan fácilmente!

—Pues el Margarito tampoco es ningún flojo — replicó Lucio.

Lucio era rechoncho y bastante más joven que Martín. Tenía los ojos retozones y una larga boca fácil a la risa.

—¡Hala, ya podéis tirar! — gritó Martín a los de la cuerda. Y éstos empezaron a tirar.

La cuba, al perder tierra, comenzó a balancearse.

—¡Parar! — ordenó Martín.

Le obedecieron y se produjo una cierta expectación. Los que tiraban de la cuerda se quedaron con los brazos tendidos y volvieron la cabeza para mirar a Martín. Y los chiquillos, hasta entonces contenidos fuera del área de los tres postes, la traspasaron hasta ponerse en la vertical de la cuba bamboleante.

—¡Venga: vosotros, fuera! — gritó Martín a los chicos.

Y Lucio, agitando los brazos, los espantó:

—¡Hala! ¡Iros a que os quiten los mocos, mocetes!

Los muchachos retrocedieron a sus antiguos límites...

En el lateral de la plaza, donde estaba situado el pilón de la fuente, las mujeres que habían ido por agua con sus cántaros enmudecieron de pronto, atraídas por los gritos de los hombres. Pero la cuba, entre tanto, había dejado de bailar en el aire. Sin perderla de vista, habló Martín:

—Pues con el Negro, una de dos: o te la juegas del todo o lo dejas en paz. Y yo creo que lo mejor es dejarlo en paz. Aparte de todo, es buen hombre. Muy cabal. Lo que es nosotros no podemos tener quejas de él...

Y miró a sus hombres, especialmente a Lucio.

—En lo referente al trabajo — dijo éste — no lo hay igual. Ni a pagar, tampoco. Pero es que la cuestión del Margarito es otro cantar...

—¡Tirar suave! ¡Vamos! — gritó entonces Martín a los de la cuerda, al comprobar que la cuba se había quedado quieta.

Empezó la ascensión de la cuba y la polea cantaba ella sola como una banda de chicharras. Los chiquillos comenzaron a bailar en derredor, entusiasmados, pero sin atreverse a penetrar de nuevo en la zona prohibida.

—¿Tú crees que habrá cencerrada? — preguntó Martín a Lucio sin apartar los ojos de la cuba.

—Hombre, no sé, pero me lo malicio — contestó Lucio sonriendo socarronamente y sin mirar a su interlocutor.

—El Negro ha contratado unos músicos que estarán al llegar...

—Sí — repuso Lucio despectivamente —, algún chiflo.

—No, no. Tres dulzainas y tres tamboriles.

Lucio pareció sorprendido y exclamó con duda:

—¡Quiá!

—Que sí, hombre. Si los he apalabrado yo mismo...

Y entonces no habrá caso para la cencerrada, vamos, me pienso yo.

—¡Qué sé yo! Ya veremos lo que dice el Isabelo, que es el que tiene más vela en este entierro.

—Pero si el Isabelo está en la capital...

—¡Y eso qué tiene que ver! Todavía puede presentarse.

—¿Hoy?

—Pues no faltan trenes...

La cuba rozaba ya los palos.

—¡Malo! — exclamó Martín —. No le arriendo las ganancias al Isabelo, si viene. Más le valdría no venir.

Ya la cuba se había encajado en el ángulo de los postes.

—¡Quietos! — ordenó Martín a los que tiraban de la cuerda. Obedecieron. Entonces se dirigió a Lucio —: Pon la escalera, tú.

Lucio levantó del suelo una escalera de mano y la apoyó en uno de los postes mientras Martín ordenaba a los de la soga:

—Vosotros, quietos, aguantando.

Y trepó seguidamente por la escalera de mano. Llevaba un rollo de cuerdas consigo y, una vez arriba, se dedicó a amarrar bien la cuba a los postes. Lucio le veía hacer desde abajo y algunos chiquillos se sentaron en el suelo a mirar. Los otros dos hombres mantenían tensa la soga, atentos al trabajo de Martín. Una mujer, que sacudía ropa en un balcón, y otra, que venía por la calle con varias hogazas de pan sobre el halda negra, se saludaron.

—¿Del horno?

—¡A ver! Por poco no puedo aviarme. El jaleo de la dichosa boda lo atropella todo. La segunda cochura, enterita, es para los bollos de la tía Trucha...

Grupos de gallinas picoteaban al arrimo de las casas, y las mujeres de la fuente continuaron su interrumpido palique mientras aguardaban turno para llenar sus cántaros.

—¡Bien sonada va a ser, bien, la boda de la Ilu! —decía Regina, una muchacha de pelo leonado y ojos grises.

—¡Y que lo digas! Va a ser una boda por todo lo alto —convino Ricarda, morena de pelo lacio, que en ese momento ponía su vasija bajo el chorro.

Una tercera, que mordía unas horquillas negras, murmuró:

—¡Menuda cencerrada! —y se colocó una horquilla junto a la oreja—. Mi novio me ha dicho que va a ser de órdago.

—Chicas: yo, cuando oí anoche la copla del Margarito, me quedé fría. Ya, de por sí, ese muchacho asusta. Mi padre me tiene dicho que los Pelocabra han sido toda la vida muy sanguinos —y Regina, al decir esto, hizo un dengue de miedo.

La de las horquillas torció la boca.

—Bien empleada le está a la empalagosa esa, que parece que no se quita el corsé. Que no tiene más que orgullo... ¿No quiere un viejo rico? ¡Pues toma viejo rico! —y se dio una palmada en el anca.

—No digas eso, Teresa, replicóle Ricarda, sacudiendo el cántaro para vaciarle el gollete—. Ni él es tan viejo ni ella es tan tonta. La muchacha se apartó de la juventud cuando la dejó el Isabelo. Cualquiera de nosotras hubiera hecho lo mismo.

—Pero es que el Luciano ese es un viudo y un negrero —insistió Teresa, con la última horquilla entre los dientes—. ¡Por los clavos del Cristo!

—Bueno, ya lo cambiarían muchas por lo que tienen —intervino Regina con maliciosa intención.

—Pues si lo dices por mí, estás fresca. A mi Perico no lo cambio yo por nadie en el mundo. A lo mejor es a ti a quien le pica la envidia.

—A otras puede que les pique otra cosa — y Regina se echó a reir, cruzando con Ricarda una mirada de inteligencia.

—¿Sabéis lo que os digo? — y Ricarda, bajando la voz, miró descaradamente a sus amigas —. Que yo sí que le tengo envidia a la Ilu, aunque no le deseo ningún mal. Como si sí o como si no, esta tarde se casará.

—¡Jesús! — exclamó Regina, esbozando sobre su pecho una pálida señal de la cruz.

Teresa había puesto el cántaro bajo el chorro y parecía estar atenta solamente a que el agua no saltase en el cuello de la vasija. Regina exclamó:

—¡Hay que reconocer que la Ilu lo vale!

Y Ricarda arrugó la jeta para añadir:

—Y a la que le duela, que se jorobe.

Entonces se volvió rápidamente Teresa.

—A mí, todo eso ¡Santas Pascuas! ¿Estamos?

—Estamos, hermosa, estamos — dijo Ricarda y se colocó el cántaro lleno sobre la cadera.

—Vosotras, con tanto alardear, no sabéis de la misa la media — miró de hito en hito a sus compañeras y, al comprobar que éstas callaban, un tanto sorprendidas y curiosas, agregó, en tono misterioso —: Si la misma doña Rosa lo dice — y se calló sonriendo sibilinamente.

—Y, bueno, ¿qué es lo que dice ¿Se puede saber? — preguntó Ricarda tras un breve silencio.

Teresa no se daba cuenta de que el cántaro se sobraba ya. Contestó:

—Me lo dijo doña Rosa el otro día, cuando fui a venderle unos huevos. Sin querer, vino la conversación a parar sobre su cuñado y la Ilu — bajó aún más la voz y atrajo hacia un círculo más estrecho las cabezas de las otras dos muchachas —. Que la tía Trucha y la Ilu le han dado de beber algo a ese hombre para quitarle la voluntad. Y puede que la Ilu le haya dado también otra cosa...

Ricarda tenía la jeta arrugada. Explotó:

—¡Mentira! ¡Ganas de darle a la lengua! Esa doña Rosa es una víbora y el Isabelo, un deslenguado.

—Veremos qué es lo que pasa cuando aparezca hoy en el pueblo. A ver si es tan deslenguado como dices — dijo Teresa.

—Pero, ¿es que va a venir? — le preguntó Regina —. ¡Verbo divino!

—Pues claro que vendrá.

—No le hagas caso, Regina — terció Ricarda —. Todo eso son embustes y fantasías. Pero, mira: también a mí me gustaría ver qué es capaz de hacerle el Isabelo al Negro. Puede que saliese trasquilado. Es muy hombre el Negro.

—Mujer... — dijo Teresa blandamente y, luego, silbó —: ¡Como hay Dios que me lo ha dicho doña Rosa!

—Mira tú quien fue a hablar: doña Rosa...... Di tú que a una no le gustan los chismes... Pero no hagas caso de nada de eso, Regina.

—No es que haga caso — repuso ésta —, pero yo siempre he oído decir que hay hierbas que...

Ricarda, que se había ido excitando poco a poco a través de la conversación, giró bruscamente sobre sus talones, salpicando agua en derredor. Ni Teresa ni Regina se atrevieron a detenerla. Y Ricarda, desenfadada y airosa, echó a andar de prisa.

En el camino se cruzó con otras dos mozas que iban también por agua a la fuente. Una de ellas comentó:

—¿Qué bicho le habrá picado a Ricarda?

—Ya, ya — dijo la otra.

Y ambas, después de seguirla un momento con los ojos, se detuvieron a contemplar la faena de los hombres que colocaban la cuba en la cabeza del trípode.

—Pero, ¿es cierto eso de las hierbas, Teresa?

Teresa, que ya se marchaba con su cántaro lleno a la cadera, contestó a Regina:

—¡Ay, hija, eso es lo que dijo doña Rosa! Yo no he tenido que emplearlas con mi Perico.

Volvió la espalda a Regina y ésta movió la cabeza dubitativamente. Después, puso su cántaro al chorro al tiempo que las otras dos muchachas se acercaban a la fuente y que por una bocacalle aparecían más aguadoras.

No se movía una hoja del nogal y el sol corría por la curva del cielo. Ligeras nubecillas, como guedejas de algodón, moteaban el rutilante azul. Una vieja se sentó en el poyo de una puerta, se bajó sobre los ojos el negro pañolón y se quedó encogida, con las manos sobre el halda, igual que un garabato negro. Un gato se restregó en la vieja y luego comenzó a lavarse la cara delicadamente. Las gallinas seguían picoteando. Pasó un perro flacucho, con el hocico al ras del suelo. Dos de los chiquillos que estaban junto a los postes se agacharon rápidamente a coger piedras, pero el can les adivinó la intención y rompió a correr. A pesar de ello, las piedras, en los últimos rebotes, le alcanzaron las patas traseras... Los chiquillos se agacharon por nuevos proyectiles, pero en vista de que el perro había desaparecido entre tanto, los dispararon sobre el inocente y bienhechor nogal, produciendo la caída de unas cuantas hojas y el rebullicio de unos gorriones...

Martín, una vez amarrada sólidamente la cuba en el cruce de los palos, bajó de la escalera. Ya en tierra, contempló un momento su obra y se sacudió las manos.

—No ha quedado mal, me parece a mí —dijo.

—No, caer, no se cae —y Lucio meneó la cabeza—. Desde luego va a estar superior ver a la gente en fila con la boca abierta...

—Lo peor es que el mosto va a estar algo caliente.

—Es igual. Habrá quien no se quite hasta que le salga por los ojos.

—Ya se encargarán de empujarles los que vayan detrás, ¿no te parece, Lucio?

—La verdad es que esta ocurrencia de la fuente de vino...

Martín miró a Lucio con los ojos entornados.

—Que el Negro tiene mucho pesquis y nada más. Con estas treinta arrobas de vino acaba con toda la mala leche del pueblo. Y, por si faltaba poco, las dulzainas y el bailoteo. ¡Nada, que no pasa nada! De algo tenía que valerle al hombre haber recorrido medio mundo.

—Pues a lo mejor — y Lucio juntó casi las cejas y montó el labio inferior —, pues a lo mejor no viene nadie a beber ni a bailar, para que usted vea, señor Martín. Para mí que no debería venir nadie.

—Y ¿por qué, hombre, por qué? Vamos a ver.

—Que ¿por qué? Si no fuera más que viudo, con una buena cencerrada y lo que se terciara ¡listo! Pero eso de ser forastero... Vamos, que llevarse con sus manos limpias los dineros del común... Y venir de África para eso...

Martín meneó la cabeza.

—Lo que yo digo: que estáis ruchos ¡qué sandiez! Pero, ¿es que no véis que ese hombre puede dar al pueblo mucho más que lo que te toque del común por su mujer? Si lo que le sobran son billetes ...

También Lucio meneó obstinadamente la cabeza.

—¡Quiá! La Ilu tenía que ser para uno del pueblo y, si no, para vestir santos. ¡Y no hay más!

Martín se encogió de hombros diciendo:

—Es que no habéis salido nunca del pueblo. Eso es. Uno no es que haya viajado mucho, pero algo ha visto. Por eso me parece una tontuna todo esto. Antiguamente, pase, pero lo que es ahora... — Sacó la petaca. Arrancó luego un papel del librito y murmuró —: Puede que nos cueste caro a todos... Me figuro lo que estás pensando ahora ...

Martín se sonrió y le ofreció la petaca.

—Anda, líate un cigarro... ¡Que se te hace la boca agua, hombre!

Lucio hizo estallar sus labios y luego se rio. Se echó tabaco en el hueco de la mano, que le temblaba un poco, y exclamó:

—¡El ratejo que tiene la zagala!

Martín le miró de reojo y siguió liando concienzudamente su cigarrillo.

Los otros dos hombres, los que tiraban de la soga, fumaban también tranquilamente, un poco apartados, y hablaban entre sí. Pasó un grupo de aguadoras junto a ellos y una les preguntó:

—¡Eh! ¿Y qué es eso que habéis plantado ahí?

—¿Es que no lo ves o qué? Un catafalco — le contestó uno de ellos, el más alto, de espesas cejas oscuras y ojillos pardos.

—¡Qué gracioso eres, Felipón! — exclamó la muchacha haciendo un mohín.

El otro hombre explicó:

—Es una fuente de vino para esta tarde.

—¡Ay, Virgen Santa! — gritó otra mujer, de nariz respingona —. Lo que faltaba...

—Y baile que va a haber... — añadió la primera y dio un par de vueltas, produciendo gran algazara en todos.

Martín entonces avisó a sus hombres señalando hacia el arranque de la calle principal.

—¡Ya está ahí!

Acababan de desembocar en la plaza Luciano y José. Aquél andaba derecho, con paso firme, y José, un poco encorvado. El uno cortaba el aire y el sol a su paso y el otro parecía enredarse en ellos. El Negro irradiaba energía y voluntad, y el maestro dejaba traslucir apocamiento y resignación. El hermano mayor hablaba y el menor escuchaba. Y cualquiera que no los conociese hubiera confundido sus edades pensando que José era el más viejo.

—Ya ves tú — decía Luciano — en este día no se me viene a la imaginación nada de lo mucho que he sufrido por esos mundos de Dios. Sólo me acuerdo hoy de nuestros padres, de madre más que de padre. A lo mejor porque con padre peleábamos poco. Siempre estaba cansado y no hablaba. Yo creo que sólo se le oía para pedir la comida o la ropa. Pero madre... Mira que era alegre la pobre, a pesar de la miseria y de los trabajos...

Se detuvo y José hizo lo mismo. Desde donde estaban podían ver perfectamente el artilugio levantado por Martín y sus hombres. Luciano miró hacia allí afinando la vista. José dijo:

—Ya está listo eso, Luciano — e hizo ademán de volverse.

—Espera — dijo el Negro sin mirarle —. Nos vamos a llegar hasta allí porque quiero ver con mis propios ojos cómo han amarrado la cuba. No vaya a ser que luego, por hacerse las cosas a la ligera, tengamos algún disgusto.

José se encogió de hombros y el Negro dejó de mirar a la fuente de vino para posar sus ojos sobre los de su hermano. Le puso, además, una mano en el hombro y le dijo:

—¿Tú te acuerdas de la casa de don Fidel, el notario de Madrid? — José abrió los ojos, sorprendido por aquel súbito recuerdo, pero Luciano, sin esperar su respuesta, como si estuviera viendo aquella casa por primera vez y quisiera describirla vivamente, siguió hablando al mismo tiempo que cincelaba formas en el aire con sus fuertes manos —: Para nosotros era un palacio con aquellas salas, tan grandes, con aquellas hileras de sillas y butacas arrimadas a las paredes y enfundadas de blanco como fantasmas... Tanto rico mueble, que no sabíamos para qué servía, y tantas lámparas y tantas esteras... — quedó un momento como extraviado en la nebulosa del lejano pretérito y prosiguió después, con más precisión y seguridad —: Aquella tarde había vuelto yo de espigar con mi saco al hombro. Me acuerdo como si fuera hoy, José, y hace muchos, muchos años que no me acordaba de ese detalle, ya ves. Madre no estaba en casa. Tú, tampoco. Quizás anduvieras jugando al marro con los de tu tiempo. No sé. El caso es que la señora Rita, la vecina, me dijo que madre había ido a limpiar la casa grande porque don Fidel iba a pasarse el verano en el pueblo, como hacía todos los años. Y yo me planté de una carrera en la casa. Me gustaba mucho verla. Tenía, a la entrada, un jardín, parecido al que yo voy a hacer en la mía, aunque peor. Y un zaguán de la traza del de mi casa, aunque algo más pobre. Y unas escaleras como las que acabas de ver, pero más estrechas y más desgastadas, más de cualquier manera también. En fin, que era una casa del estilo de la mía, pero en inferior. Pues, hala, yo me subí las escaleras aquella tarde de cuatro saltos. Llamé a madre y no me contestó. Aquel silencio, la verdad, me dio un poco de miedo, pero me hice el valiente y entré en la sala. Entonces me di cuenta de por qué no me respondía madre... Ella estaba allí, pero se había quedado dormida en el suelo, al pie de aquellas butacas. ¡La pobre! Trabajaba tanto y dormía tan poco... No me atreví a despertarla y esperé. Y cuando abrió los ojos, dio un pequeño grito de susto, y lo primero que hizo fue buscar la escoba y el trapo, que estaban caídos junto a ella...

Se le había secado la garganta y en aquel punto de la historia se le oscurecieron los ojos, velados por una angustia rápidamente reprimida. Quitó la mano del hombro de José y volvióse de nuevo a mirar a la fuente de vino, lo que le obligó a amusgar los ojos y esconder tal vez el alma. Luego, dio un paso hacia adelante, murmurando con sorda voz:

—Por eso daría la mitad de los años que me quedan de vida porque madre hubiese visto hoy mi casa...

Ya andaban a la par los dos hermanos: el Negro, como una proa y mirando hacia adelante; José, pensativo y con la vista en el suelo. Luciano prosiguió:

—Las butacas de mi sala son como aquellas que madre limpiaba..., sólo que mejores.

Y les salió al paso Martín.

—Ya sabía yo que vendría usted a verlo — dijo a Luciano, luego de empujarse un poco la gorra hacia atrás.

Luciano no dijo nada hasta situarse junto a los postes en el preciso momento en que unos zagales, que habían trepado hasta lo más alto, se dejaban escurrir atropelladamente y sonaba la voz de Lucio:

—Pero, muchachos... ¡Maldita sea!

Mientras los chicos se reponían del susto, el Negro trepó lentamente por la escalera de mano, haciéndola cimbrearse y crujir. José, a la sombra del nogal, se dispuso a aguardar pacientemente.

Las mujeres seguían llenando sus cántaros.

—La verdad es que el Negro es una estampa de hombre bien plantado — dijo una que no le había quitado los ojos desde que apareció en la plaza.

—Sí que lo es. Y templado — comentó otra.

—Para suerte la de la Ilu. Así estaba ella de guapa y retiesa esta mañana en la misa de velaciones. Que Dios me perdone, pero yo no le perdí ojo en toda la misa. Y, chicas, ella estuvo todo el tiempo sin moverse ni mirar para ningún lado. Como si le hubiese dado un *paralís.*

—Tiene reconcomio — repuso una tercera —. ¡A ver! La copla del Margarito no es para menos — y canturreó por lo bajo:

> que los pelos de esta cabra
> nadie los puede arrancar.

Las mujeres se quedaron después calladas. La que tenía su cántaro bajo el chorro, lo meneó para vaciarle el gollete, se lo puso a la cadera y se fue, suspirando:

—¡Chicas: que sea lo que Dios quiera!

Luego, la que hablara primero, puso el suyo bajo el caño y dijo:

—Cualquiera sabe lo que piensa la Ilu... Ya se había apartado mucho de nosotras, pero desde que se puso de novia con el Negro es que no habla con nadie.

—Porque todo el mundo lo ha visto mal, hasta su hermano. Venancio no quería. Por eso no viene hoy a la boda. A mí me hace la santísima, pero él sabrá lo que hace.

—Pues a ti no te viene mal esta boda, Luisa. Mira por donde vas a ser pariente del Negro...

—Si yo no digo nada — se defendió Luisa —. Digo lo que todo el mundo sabe.

—Puede que la Ricarda sepa muchas cosas. A ella sí le habla.

—¡Narices! Ni ella.

—¡Fijaros! — exclamó la que no había hecho más que escuchar, señalando a Luciano que ponía de nuevo el pie en tierra —. Si parece el amo donde quiera que esté — y suspiró.

Y otra vez se quedaron calladas y pensativas.

—Me parece que ha quedado bien segura, pero alguien tiene que quedarse a vigilar esto — dijo el Negro a Martín —. No vaya a ser que los chiquillos hagan una trastada.

—Yo me quedaré — se ofreció Lucio.

—Bien, pero que se vayan relevando cada par de horas, ¿estamos, Martín?

—Estamos, señor Luciano, y vosotros — añadió, dirigiéndose a Goyo y a Felipón — ya lo sabéis: os ponéis de acuerdo para que no esté esto solo en todo el día.

Los aludidos hicieron una señal de asentimiento, y Felipón dijo:

—Ahora vamos a que nos rasure el Escaso.

El Negro les hizo una seña con la mano y Goyo y Felipón iniciaron la marcha. Lucio fue a recostarse en el nogal. El Negro, José y Martín se dirigieron hacia la empinada calle principal.

El Negro, entre José y Martín, iba diciendo a éste:

—No lo pierdas de vista. No me fío de Lucio ni de los otros. Cuando el vino empiece a correr, ya será otra cosa.

—Descuide, señor Luciano.

—Y a ver si mientras yo estoy fuera termináis las tapias

del jardín y todos los detalles que faltan en la fachada. Para el dinero y para todo lo demás tienes que entenderte con don José. En todo ese tiempo, mi hermano ocupará mi lugar...

Martín asentía con la cabeza y José caminaba con la vista barriendo la calle. De los portales les salían al paso miradas curiosas y huidizas y saludos sordos...

Los chiquillos iniciaron la desbandada y un perro, al verlos, se volvió al trote desde una esquina. La vieja siguió sentada en el poyo, silente y enigmática. A sus pies, runruneaba el gato. Empezó a soplar un leve viento, muy delgado. El viento se hizo ver en los rizos de la brillante sotana del cura, don Amancio, que salía de la iglesia, y que dejaba al descubierto las bocas de sus pantalones. Don Amancio se cubrió con la parda teja y echó de prisa por en medio de la plaza, con el libro de los rezos bajo el sobaco. Lucio se enderezó un poco al verlo pasar y se quitó el cigarro de la boca. El cura entonces le correspondió con un leve movimiento de la mano, y luego Lucio volvió a recostarse sobre el tronco del árbol. También en la copa del nogal jugueteaba el viento y se movían sus hojas con un rumor de abanicos.

En la fuente bisbiseaba una aguadora:

> Quien tuvo pelos de cabra,
> pelos de cabra tendrá.
> Que los pelos de esta cabra
> nadie los puede arrancar.

—¡Calla, muchacha, que da miedo oírlo! — la reprendieron.

III

VENANCIA, la Trucha, subió lentamente las escaleras y se asomó al cuarto de su hija. Era una alcoba grande, destartalada, entarimada de crujiente pino. En las paredes, desnudas y nítidas, no se veían más adornos que la estampa de un Cristo oscuro y el pequeño espejo pendiente de un cordón de color rosa. Reinaba en ella un olor a lienzos y maderas limpios, un olor a limpieza en penumbra, tenazmente sostenida y celada.

Ilu, sentada en un rincón, parecía contemplar incansablemente su ropa de novia, extendida sobre su cama de hierro. Y al cofre de herrajes, alzado del suelo por una tarimilla de cuatro patas, colocado junto al lecho y sobre cuya tapa se exhibía una serie de objetos brillantes. La muchacha no se dio cuenta de que Venancia la contemplaba, a su vez, en silencio, desde la puerta.

—¿Qué cavilas? — preguntóle la vieja, pasándose el índice y el pulgar de la mano derecha por las comisuras de los labios.

La chica, sobresaltada, volvióse hacia la madre, y se encogió de hombros sin poder disimular su disgusto por haber sido sorprendida así.

—A otras se les desata la gavilla de los nervios en un día como este. Pero tú parece que te has quedado pasmada — continuó diciendo la Trucha dando unos pasos hacia el lecho —. Cualquiera diría que estás pesarosa de lo que vas a hacer...

Los ojos de Iluminada resbalaron a todo lo largo de la pared hasta quedar fijos en la ventana.

—¡Chica!

—¡Déjeme, madre!

Pero Venancia avanzó hacia ella.

—¿Es que tienes miedo? — le preguntó con voz silbante.

Cuando miraron a su madre, los ojos de la muchacha brillaban intensamente en la escasa luz que pasaba el tamiz de los visillos blancos. La vieja añadió:

—Si es por eso... — y fue por una silla al otro extremo de la alcoba, haciendo crujir el viejo entarimado. La arrastró junto a la de su hija y se sentó pacientemente —.Bueno... — y se quedó callada de pronto.

Abajo sonaban voces afanosas y tatareos de mujer. En la alcoba, por el contrario, se hizo un silencio doloroso, tirante, como si algo fuera a romperse.

—¿Miedo? ¿De qué? — murmuró quedamente Iluminada al cabo de un rato.

La vieja, en vez de contestar, se encogió de hombros.

—¡Qué sé yo! — dijo.

Entonces, la muchacha clavó sus serenas pupilas en las de su madre, que dejaban traslucir una inquietud largo tiempo rumiada, y habló después.

—No sé qué podría temer. Nada tengo que ocultar ni nada tengo que fingir.

—Pero como han dicho tantas cosas... — y la vieja aguzó la mirada como para sorprender el más mínimo titubeo en su hija.

Pero Iluminada no hizo sino sonreír agriamente.

—Ya lo sé — dijo —. Pero, gracias a Dios, no son más que infundios.

La Trucha dejó escapar un suspiro y repitió:

—Gracias a Dios... — y, con una caricatura de asombro en su rostro de pájaro, dijo después —: Mejor. Yo me dije: si...

Pero Ilu le volvió la espalda y la vieja no concluyó la frase. Tras una pausa, insistió por otro camino:

—Y Luciano, ¿no te ha dicho nada? Él habrá oído las cosas que el Isabelo dijo de ti.

Ilu contestó, siguiendo de espaldas:

—Claro que lo sabrá. No habrá faltado, no, quien le haya ido con el soplo. ¡Menuda cuñadita tiene para callarse nada que pueda perjudicarme! — Y dulcificó la voz un tanto para añadir —: Pero Luciano no es de los que dicen esas cosas. Ni de los que preguntan. Yo a él, tampoco. Lo mismo que él me dijo cómo se había casado con aquella mujer y de qué forma se había quedado viudo, le conté yo mis relaciones con el Isabelo. Todo en pocas palabras, las que quise decirle. Después, ni una más. Él me hizo prometerle que en jamás de los jamases volviéramos a hablar de estas cosas. Y así ha sido. Y así será.

—Mejor — comentó la vieja.

La chica entonces se acercó a su madre. Había palidecido y le punteaba en las pupilas un inquieto brillo de angustia y de zozobra.

—Otra cosa es la que me tiene a mí sin sueño — dijo.

Venancia describió con las manos un ampuloso gesto de extrañeza.

—Sí. ¿Cree usted que yo no conozco el rumor del pueblo? Y la copla del Margarito...

—¡Bah! — y la vieja sacudió el aire con una mano como si se espantara una mosca.

—No. Déjese de aspavientos tontos, madre. Que el Margarito me da mucho miedo. Cada vez que me ve, me mira como si fuera a comerme. Algunas se me ha quedado fijo mirándome, creo yo que con ganas de hacerme cachitos. Y nunca me dice nada, pero es peor. Siempre que lo he topado, no he podido remediar que se me pusiese la carne de gallina...

—Es que él es así: huraño como un gato montés. Ni

se le ha conocido novia todavía. A mí me parece que anda algo trastornado de la cabeza...

—Pero la copla...

—Algo han de hacer los Pelocabra para que no se diga...

—¿Y si viene el Isabelo?

Venancia se engurruñó y la muchacha le puso las manos en los hombros, obligándola a levantar la cabeza y a mirarle de frente.

—Es lo que más miedo me da, madre: que se lleguen a encontrar los dos. Isabelo está muy pagado de su persona y, si viene, es capaz de hacer un disparate por amor propio. Ya sabe usted que siempre se las dio de gallito. Y Luciano... No lo conozco tan bien, pero juraría que tiene un genio terrible. ¡Virgen Santa!

Por los ojos de Iluminada pasó, como un relámpago, una visión atormentadora. Los mantuvo un momento desmesuradamente abiertos y luego dejó caer la cabeza, abatida por la congoja. La Trucha exclamó:

—¡Jesús, muchacha! No hay que ponerse así.

Sin embargo, la vieja se había estremecido también, muy a pesar suyo.

—Puede que no venga el Isabelo. Y si viene... Al fin y al cabo hay hombres en la familia y en el pueblo para arreglar lo que se tercie.

Pero Iluminada no pudo dominar un sollozo, y cayó de rodillas junto a su madre. Con el rostro hundido en el seco regazo, se lamentó:

—Los hombres de la familia y del pueblo... ¡Pero si todos ven mal esta boda! Si hasta mi propio hermano la ve mal... Dice en la esquela que no le dan permiso para venir a la boda, pero lo que yo creo es que no lo ha pedido siquiera... Y es porque no quiere comprometerse...

La muchacha temblaba. Por encima de su cabeza, la madre miraba al fondo de la alcoba, donde estaban el lecho y el cofre, y parecía que sus ojos se hubieran quedado embelesados, prendidos en los destellos de toda aquella riqueza. Ilu decía:

—Yo no sé por qué, madre, yo no sé por qué...

Entonces Venancia crujió toda ella como si estuviese hecha de cañizo. Cogió a su hija por los hombros y la separó de sí.

—Pero, ¿es que todavía no sabes por qué, pazguata? —y clavó sus pupilas chispeantes en los ojos húmedos de Iluminada—. Mira —y le señaló la cama donde fulgía el rico traje regional bordado en plata y oro—: por eso. Y por eso —y le hizo mirar a los estuches de joyas y a los frascos de perfumes colocados sobre la tapa del cofre—. Por eso, so pasmada. Y por la casa que te regala el Negro con todo lo que tiene dentro, que debe ser de lo mejor. Y porque vas a ser una señora principal, más señora que la médica y que la maestra, y quién sabe si más también que la mujer del gobernador. Tendrás lo que quieras porque Luciano es muy rico. ¿Y te parece poco para que rabien todos esos cristianos?

Había zarandeado a Iluminada sin querer. Y la muchacha se dejó caer sentada sobre sus propios talones, como avasallada por aquel súbito arrebato de la ira materna.

—¡Uf, tonta más que tonta! —y Venancia alzó, con desprecio, una de sus manos. Luego, su voz se adelgazó de nuevo al decir—: Claro que lo de Venancio, el muy zoquete... Ése es que tampoco se ha enterado de lo mucho que gana con esta boda. ¡Ya le dará su padre un repaso para quitarle el bravío! Y, si no, se lo daré yo.

La vieja vibraba. Ilu, por el contrario, trasminaba cansancio y abatimiento. La madre volvió otra vez sus baterías contra la hija pusilánime.

—¿Te das cuenta de una vez? ¿Sí o no?

—Sí, claro —contestó Ilu en voz baja y sin convicción.

—Pues si te dan una cencerrada, ¡que te la den! Si te cantan coplas, ¡que te las canten! Que de ahí no pasará, ya lo has de ver. ¡Que canten y berreen todo lo que quieran! Tú, a lo tuyo. Ya se cansarán. ¿Que dicen...? ¡Que digan misa, si quieren! Vale la pena, muchacha. ¡Ya lo creo que vale la pena! ¡Por Jesús bendito que sí vale la pena!

Venancia se ahuecó el pañuelo y se pasó los dedos por la frente sudorosa.

—Ya mañana, cuando os vayáis al viaje de novios — prosiguió — ya les diré yo a más de cuatro. Esa va a ser la mía. ¡Te aseguro que las voy a dejar turulatas!

Ilu callaba. Seguía en su misma postura de dejadez, mirando al suelo. La mano, sobre el muslo, mostraba la bella sortija de compromiso, que parecía una estrella centelleante en la morena piel. Todo aquel enardecido hablar de su madre caía sobre la muchacha como una reprimenda.

Por su parte, Venancia, que se había fatigado, puso punto final a su perorata. Pasados unos minutos de silencio, ya pareció olvidarse hasta de la presencia de su hija. Tenía los ojos perdidos en la ventana y empezó a soltar entre dientes nombres que apenas estallaban entre sus labios...

—Paca... ¡hem! La Loba, ¡hem! La Patricia... La Perromuerto... Y la Rafaela ...

Los ojos de Venancia, bajo las fruncidas cejas, iban más allá de los cristales de la ventana, buscando cada una de aquellas mujeres para confundirlas...

Venancia abre la puerta de la casa de Luciano.

—Entrar — dice al grupo de comadres que la acompaña.

Entran. Venancia las deja un momento solas en el zaguán mientras ella abre las ventanas de todas las habitaciones. La casa se inunda de luz, de una luz retozona, que se arremolina y se mueve como el agua en un batidor.

—Entrar — repite cada vez que les muestra una habitación.

Están todas las comadres: Paca, la Loba, Patricia, la Perromuerto, Rafaela... Alpargatas y zapatos negros, medias negras de algodón, faldas negras, pañolones negros...

Las manos oscuras sobre los vientres; las cabezas, encapuchadas con los pañolones... Hay bocas sin dientes y bocas con dientes negros; ojos estúpidos y ojos dañinos; labios tumefactos y labios recosidos de arrugas.

Las comadres se miran y mueven la cabeza en silencio.

—Mira, Rafaela — dice Venancia señalando un mueble.

—Mira qué vajilla, Paca — vuelve a decir.

Y a todas:

—Y tú... Y tú... Mirar... Mirar...

Suben las escaleras. Venancia va delante.

—Ahora vais a ver lo mejor — les dice en la puerta de la alcoba nupcial.

Al penetrar en la amplia habitación, ninguna sabe adonde dirigir los ojos. Tal es el deslumbramiento que produce en ellas el enorme espejo que rebota los raudales de luz creando una atmósfera irreal, casi mágica.

En los ojuelos de la Trucha puntea un irreprimible destello de triunfo, y a sus labios asoma un principio de sonrisa altanera. Tose con fuerza para que la miren todas.

Entonces las comadres afirman en silencio, con solemnidad de jurado. Y la sonrisa de Venancia se expande más por toda su cara rugosa. Pero se ha roto el embrujo y las comadres se lanzan, como moscas, a manosear las telas y a palpar los muebles...

Se oyó una voz que gritaba desde el portal:

—¡Ilu! ¡Ilu!

Entonces Venancia se dio cuenta de que su hija se había levantado del suelo y se hallaba junto al lecho acariciando su vestido de novia. Pero la muchacha se volvió de pronto a mirarla, sorprendida también por la llamada. Luego, dijo:

—Es Ricarda.

—Ya — convino la madre y se levantó. Y, alzando la voz, gritó:

—Va.

Después se detuvo junto a su hija para decirle:

—Te la mando ahora mismo. Y enséñaselo todo. Ella se encargará de decirlo por ahí con mucha ponderación. Y yo voy a ver cómo anda la cosa por la cocina. Despacha pronto a la Ricarda y baja a echar una mano. Estará al llegar tu prima con los bollos, pero hay que volver al horno con los corderos. Para mí es mucho porque tu tía y tus primas no hacen más que preguntar y curiosear... Y, luego, tu padre, que se cree que se remató toda la faena con matar los corderos y apañar las mesas...

Aún se volvió desde la puerta como si recordara algo de pronto:

—Y no tengas tanto apuro por lo que pueda pasar. El tío Pelocabra le debe mucho dinero a Luciano, tonta.

Ilu la vio desaparecer por la puerta, arrebujada en la doble negrura de su sempiterno luto y de las sombras. Después echó una mirada a su alrededor y corrió a la ventana, abriéndola de golpe. La cruda luz encendió de un soplo centelleos vivísimos en los bordados del vestido y en los cristales de encima del cofre...

Ricarda, que llegaba de la penumbra, se ofuscó.

—Chica, que te van a comer las moscas... Entorna un poco.

Ilu estaba de espaldas a la luz y pudo apreciar el parpadeo nervioso de su amiga.

—Es para que lo veas todo bien. Tú eres la única que se merece verlo a gusto — dijo Ilu sonriendo amistosamente e indicando a Ricarda el lecho y el cofre.

Ricarda se aproximó y estuvo un rato mirando sin hablar y sin tocar nada.

—El vestido me lo trajo anoche el mismo Luciano de la capital. Y las medias, y los zapatos, y el juego interior... Todo me lo ha comprado él.

Ricarda se atrevió entonces a rozar los bordes del vestido con la punta de los dedos.

—Es oro, ¿verdad? — preguntó admirativamente.

—Creo que sí — contestó Ilu.

—¡Jorobar! Ya habrá costado, ya.

Ilu se encogió de hombros. Ricarda prosiguió:

—Claro, una no entiende de estos lujos. Ni tú ni yo hemos visto nada parejo, ¿verdad?

—Nunca.

—¿Y todo te lo ha comprado él dices?

—Todo.

—¿El ajuar completo?

—¿No te he dicho que todo?

—¡Qué hombre!

—Él no quiere que me lleve nada de mi casa. Dice que todo lo que me roce ha de ser suyo. Dice — y sonrió — que él quisiera ser dueño también del aire y de la luz por eso...

A Ricarda le brillaron los ojos.

—¡Qué hombre! — repitió sin poderse contener.

—Mira eso también, Ricarda.

Eran los objetos brillantes que se destacaban encima de la tapa del cofre: esencieros y estuches. En un joyel de plata repujada y clavados en la almohadilla de terciopelo negro, los alfileres simbólicos. Un estuche con una pulsera de brillantes. En una bandejita de metal precioso, un collar de perlas. Sortijas en otro joyel. Un relojito de oro con pulsera del mismo metal. Las ligas blancas con hebillas de pedrería...

—¡El mundo entero, Ilu! ¡El mundo entero!

La novia hizo un gesto ambigüo. Ricarda estaba estremecida de entusiasmo.

—No, no toco nada. Me da como un poco de miedo...

—No te dé reparo, mujer. Tócalo. Anda, coge el collar... Y póntelo.

Pero Ricarda denegó con la cabeza.

—Chica, me sabría muy mal tener que quitármelo después... Además, no se debe probar una nada que se haya de poner la novia. Dicen que trae mala suerte. Después de la boda sí me darás un alfiler, ¿eh?

Ilu sonrió.

—Todos los que quieras, mujer.

—Bueno, ya me pasaré algún día por tu casa y entonces...

La novia se encogió de hombros.

—Nada más vuelva del viaje, te espero por mi casa. A ti la primera. Y te traeré un buen regalo. Puede que a ti sola.

Las dos mujeres se miraron a los ojos. Y ambas sonrieron, enternecidas.

—Bueno — murmuró Ricarda —, no lo digo por lo del regalo, pero la verdad es que siempre hemos sido muy buenas amigas.

—Y lo seremos siempre.

Ricarda quitó, como a traición, sus ojos de los de su amiga y giró bruscamente sobre sí como buscando algo.

—¿Y lo demás? — preguntó.

—¿Qué? — e Iluminada pareció sorprendida.

—¡Cómo que qué! Lo demás del ajuar.

Iluminada se encogió de hombros y estiró los labios.

—No lo sé — contestó —. No lo he visto.

—¿Que no lo has visto? Vamos, chica.

—De verdad que no. Luciano lo guarda en la casa nueva. Y yo no lo he visto como no he visto todavía la casa por dentro. Son sus rarezas, las rarezas de este hombre. Se ha pasado las noches enteras colocándolo todo a su gusto. Según llegaban los camiones con los muebles y las demás cosas, los hacía descargar dentro de la casa. Y luego, por las noches, como te he dicho, ha ido poniendo él solo cada cosa en su sitio. Esta noche, si Dios quiere, lo veré yo por primera vez.

—Ya, ya — y Ricarda exteriorizaba su asombro con lentos movimientos de cabeza —. Eso decían, pero yo no pasaba a creerlo.

—Pues es la pura verdad.

Y otra vez exclamó Ricarda, sin disimular su admiración:

—¡Pero ese hombre lo hace todo él!

En la novia no hacían mella la desbordante jovialidad de Ricarda ni sus ingenuos asombros. Por el contrario, denotaba una penosa ansiedad y parecía que la aturdiese y la molestase el alborotado parloteo de su amiga quien, dándose tal vez cuenta de su ansia, procuraba llevar la iniciativa en la charla y evitar así una dolorosa explicación. Hasta que la hizo callar mediante un gesto de impaciencia.

—Pero, ¿qué te han dicho, Ricarda? — e Iluminada cogió de un brazo a Ricarda mirándola con expresión sombría.

—Y a ti, ¿qué te importa ya, mujer? Hubieran querido, después de lo del Isabelo, que te quedases para vestir santos.

—Pues yo no sé por qué me tienen tanta tirria. Les dejo todos los mozos del pueblo y yo me caso con un viudo forastero, ya ves tú.

Ricarda se encaró entonces con Ilu.

—Pero ¿es que no te das cuenta de que te llevas lo mejor que ha pasado por aquí? Ningún mozo vale para descalzar al Negro, y que Dios y mi Eloy me perdonen. El Negro es más guapo, más señor, y tiene más planta de hombre bragado que todos ellos.

Ilu soltó a Ricarda y se quedó de perfil a ella, mirando a las joyas del cofre.

—¿O es que tú piensas que se le puede comparar el Isabelo, el fanfarria ese?

—No, claro que no — repuso vivamente Iluminada, tornando a mirar a los ojos de su amiga.

—¡Ah, vamos! Pero es que ni en un pelo. Por eso, la que más y la que menos se encandiló con el Negro cuando apareció aquí. Y más cuando corrieron voces de que se quería casar. Y más hoy, que se casa y se pierde para *in sécula.* Así se lo he dicho en la fuente al bicho de la Teresa y a esa monja boba de la Regina. Todas, y me meto yo también, quisiéramos estar en tu pellejo hoy... ¡Ni más ni menos, ni menos ni más!

—¡Qué cosas dices!

—Mira tú las cosas que yo digo: la verdad.

—¿Y de lo otro?

—¿Qué otro?

—Los rumores...

Ricarda se echó a reir de nuevo, pero la novia no la acompañó en la risa. Se la veía inquieta por un enjambre de temores y de preocupaciones.

—Y de la copla del Margarito, ¿qué?

—Pero si es un borrico, hija mía... ¡Déjalo que rebuzne, que es su oficio!

Después de una pausa, volvió a preguntar la novia:

—¿Tú crees que vendrá el Isabelo?

Ricarda frunció despectivamente los labios.

—Pero si, a lo mejor, ni lo sabe... Bueno, y si viene ¿qué? Ése es que no conoce a tu novio.

—Pues por eso.

—Descuida, que ya se lo dirán y entonces puede que no quiera saber nada y coja el primer tren de vuelta.

Ilu iba a replicar, pero se contuvo y, tras un titubeo, se dirigió a la ventana. La entornó y corrió las cortinas. La luz, al palidecer, dejó apagarse los fulgores de los bordados y de la pedrería. Y de la alcoba desapareció aquel estrepitoso júbilo, como si hubiera cesado de repente el canto de un coro de chicharras.

Se había acabado también la charla. Y así lo entendió Ricarda al exclamar de pronto:

—¡Pero si deben ser ya las mil y quinientas! Me figuro la cara que va a poner mi madre cuando me vea llegar... —hizo una mueca que provocó una leve sonrisa en Iluminada, y añadió, ya en marcha hacia la puerta—: Pues y mi padre... ¿Sabes lo que me dice siempre? Que soy tan descarada y tan sin fundamento como un gorrión...

Aún se reían por la escalera. En el portal acechaba Venancia, que se dirigió al instante a su hija:

—Aligera y vete al corral a echarle una mano a tu tía, que yo tengo que colocar en las banastas los bollos que acaban de traer, recién cociditos...

Ricarda olfateó y dijo después alegremente:

—¡Virgen, cómo huele hoy en esta casa! ¡Cómo se ve que es una boda de ricos! — y, volviéndose a Ilu, añadió —: En cuanto almuerce, vengo a echarte una mano. Hoy no es día para que tú trajines en estas cosas...

—Que tienes que ayudarme a vestir...

—Ya estaba yo en eso, ya.

Ricarda se cruzó con el viejo Trucha, el padre de Ilu, que portaba un largo tablón. El viejo, descubierto y en mangas de camisa, sudaba. Y la muchacha le espetó abiertamente al pasar:

—¡Vaya, tío Trucha! Así da gusto casar a las hijas, ¿eh?

El viejo la miró escondiendo los ojos y, cuando ella desapareció, disuelta en la solina que ya enturbiaba el aire de la calle, murmuró:

—¡Demonio de zagala ésta!

IV

MARGARITO arrancó el hacha doblándola hacia arriba. Después, la levantó otra vez en el aire para descargarla sobre el tronco, dejando escapar su pecho un sordo quejido. El hachazo resonó como un golpe de tambor en el aire quieto y sonoro del bosque. Chirrió la lengua de acero entre los labios de la madera herida, húmedos de savia y de resina. Otro golpe. Otro suspiro y otro temblor sonando gravemente a través del pinar.

El muchacho, con la camisa remangada y abierta, mostraba al descubierto el redondo pecho. Sudaba copiosamente, hasta el punto de tener que suspender muchas veces el trabajo para secarse en el pantalón la humedad viscosa de las manos. Una obstinación ciega dominaba sus facciones, contraídas por el constante esfuerzo doloroso.

Hizo un alto breve en la faena, que aprovechó para respirar hondo levantando la cabeza y apoyando las manos abiertas en la cintura. En el silencio que siguió, su agudo oído de campesino percibió el suave rumor de unos pasos que se acercaban. Pero no se volvió enteramente. Le bastó con inclinar un poco la cabeza hacia un lado. Luego, miró por el rabillo del ojo y tosió. Los pasos siguieron acercándose, lentos e inseguros.

Otra vez reemprendió su trabajo el joven Pelocabra. Al levantar el hacha una de las veces, tuvo tiempo de mirar a un lado y distinguir la muda figura de su padre, que le contemplaba a unos cuantos pasos de distancia. No por eso se detuvo. Al contrario, siguió golpeando con más furia.

El viejo carraspeó y escupió en un respiro del leñador, pero éste parecía haberse vuelto loco. Sus golpes eran más rápidos, sin descansos ya, más fuertes, frenéticos. Tal vez le incitara a ello la agonía del árbol, que empezaba a dejar oír sus alarmantes chasquidos de muerte. Eran momentos en que se confundían el resuello furioso del hombre que asesinaba y los inútiles lamentos de la víctima, prosiguiendo un antiguo y perenne diálogo de la naturaleza. Los demás árboles, enhiestos y seguros, mecían sus copas en el aire azul de la mañana, indiferentes a la desgracia ajena, más dichosos que nunca tal vez... Tal vez sus raíces ansiosas temblarían de gusto al sentir más tierra libre por donde desparramarse y sorber.

Por fin, el árbol herido se tambaleó. En vano quiso agarrarse a sus compañeros antes de caer. Le hicieron el vacío, un vacío de tiesura y de inmisericordia. Y el árbol cayó arañando el aire. Dio un golpe tremendo, que retumbó en el bosque, y en seguida se oyeron los mil chasquidos de las ramas quebradas y de las fibras rotas.

Margarito saltó presuroso a rematarle y ya, con unos pocos golpes hábiles, cercenó las últimas ligaduras. El árbol ni se estremeció. Era una vida vegetal, húmeda y fría, que se escapaba en el fluir lento de la savia. Su postrer instante sería aquel en que apareciera el primer coágulo amarillo en las mil pupilas verdes de sus hojas.

El leñador apoyó el hacha en el muñón que emergía de la tierra y respiró profundamente. El final del esfuerzo había reblandecido su cara. Le brillaba la frente, le rezumaban las mejillas y, sobre el pelo del labio superior, muy ancho y sin reborde, se le había formado un salpullido de gotitas de sudor. Sacó un gran pañuelo de yerbas y se enjugó la cara con él. Aún respiraba por boca y narices de una manera desacompasada y ardiente...

El viejo Pelocabra se acercó silenciosamente a su hijo, hasta casi rozarle, pero no le dijo nada. Fue Margarito quien, al cabo de una larga pausa, habló primero.

—¿Ha traído tabaco? — preguntó a su padre mirándole de soslayo.

El viejo se llevó las manos a la faja, extrayendo de ella la lustrosa petaca y el librito de papel que ofreció a Margarito. Éste recogió los avíos sin levantar la vista y comenzó las operaciones de liar un cigarrillo.

—Éste es terreno vedado, Margarito — dijo Pelocabra con su habitual temblor de labios.

—¿Y qué? — replicó el otro sin darle la cara.

Pelocabra se tiró un poco atrás la boina.

—Pues que...

Y se calló. Entonces se oyeron los mil ruidos del bosque. Era un rumor apenas perceptible al principio, pero que engordaba en el silencio hasta llegar a alzarse como un abejorreo insistente y ensordecedor. Pero el silencio se interrumpió en seguida porque Margarito fue a sentarse sobre el tronco abatido, restregando sus pies, al hacerlo, contra la broza que cubría el suelo. Y miró a su padre.

—Lumbre, déme lumbre. No me he traído nada — le dijo —. Sólo el hacha...

Pelocabra se le aproximó, tendiéndole el chisquero con una mano y recogiendo la petaca con la otra. El mozo golpeó la ruedecilla y saltó la chispa.

—¿No te ha visto nadie? — preguntó el viejo.

Margarito chupaba el cigarrillo sobre la mecha encendida y se encogió de hombros.

—Es igual — dijo luego.

Otra pausa. El mozo miraba lejos, a la altura de la faja de su padre.

—Vine de rabia... — murmuró, apretando los labios mientras las narices chorreaban humo azul.

—Ya...

Pelocabra se recogía otra vez el extremo de la faja, cuyos largos flecos le colgaban sobre el muslo. Los ruidos del bosque comenzaban a crecer de nuevo.

—Me acaba de hablar el Negro...

Margarito se estremeció al oír el nombre y miró a su padre. En la penumbra del pinar no eran tan llagados ni tan sangrantes los ojos del viejo.

—Por lo de la copla...

—Bueno, ¿y qué? — le interrumpió brutalmente Margarito.

—Que se barrunta algo...

—Mejor.

—Puede que el Isabelo no venga.

Margarito dio un respingo.

—¡Tiene que venir!

—¿Y si no viene?

—¡Que tiene que venir he dicho!

Pero el mozo agregó, después de una pausa:

—En la esquela le puse bien claro que viniese sin falta. Y yo he dejado correr la voz de que vendrá. Pero si no viene... — y movió con rabia la cabeza, repitiendo —: Y si no viene... ¿Es que yo no pinto nada? Las cosas se harán como tienen que hacerse. Ya puede apostar, ya, que va a ser sonada. No tiene el Negro hígados para mí...

La voz del mozo era gruesa, una voz viril sin inflexiones, monótona. Ya estaba fresco y tranquilo, y sus ojos aparecían en todo su sorprendente belleza: negros, profundamente negros, grandes, bordeados de largas pestañas, negras también. Los pelos de la barba, haciendo honor al mote de su familia, apuntaban recios y brillantes, como púas de acero. Y de la maraña de sus cabellos cortos se escapaba un mechón ceniciento sobre la frente.

—No tiene hígados para mí — repitió, mirando fijamente a su padre —. Aquí no somos negros...

Entre un temblor de labios, replicó Pelocabra:

—Pero tiene mucho poder.

—¿Piensa usted que voy a dejar que se ría de nosotros? ¿De cuándo acá se ha reído nadie de los Pelocabra? ¿De cuándo acá, diga?

El viejo se tiró para arriba de los pantalones con ambas muñecas.

—Pero si el Isabelo no viene...

—¿No le he dicho que estoy yo? Y está usted, y está todo el pueblo. De modo y manera que si el Isabelo no viene, es igual. ¿Es que tiene usted miedo?

Pelocabra movió la cabeza negativamente.

—Entonces... — arrancó un puñado de hierba y prosiguió —: Ése se tiene que acordar para siempre del día de hoy... Él quiere llevarse a Iluminada... Puede que se la lleve y puede que no... Pero lo que sí se va a llevar es el disgusto más grande de toda su vida. Todo lo que se ha oído hasta ahora va a parecer una chiquillada en comparación... — Se sonrió agriamente para continuar —: Le pica la copla, ¿eh? Pues más le va a picar lo que le espera todavía, más que el miserere le va a picar...

Margarito se echó a reír de pronto, con una risa bronca y retumbante y Pelocabra parpadeó como un buho. Y el mozo, sin dejar de reír, se puso en pie. Luego, la risa se le fue lo mismo que se le había venido: bruscamente.

—Pero usted no sabe nada, ¿estamos? — dijo, encarándose con el viejo —. Éstas son cosas del mocerío. ¡A ver! Él quiere casarse con una moza de aquí, pues tiene que pagar las consecuencias... ¿Qué se ha creído, que con poner una fuente de vino en la plaza y traerse unos dulzaineros ya está? ¡Órdigas!

Dio un manotazo al aire como si hubiera querido coger una mosca y se quedó mirando a su padre con gesto de desafío, apuntándole a la cara con su barbilla. El viejo mostraba los ojos abiertos de par en par y parecía rascarse la cintura con las manos temblonas. Cuando el mozo bajó al fin la barbilla, ya tenía otra vez la frente anubarrada, fulgurantes los ojos y contraídos los labios. Era otra vez su expresión de obstinación fanática. Era otra vez la nube sombría sobre su rostro.

—¡La Ilu! ¡La Ilu! — murmuró entre dientes.

Margarito se olvidó ya de su padre y, echándose el hacha al hombro, se alejó a paso rápido, impelido por una furia negra.

Pelocabra lo vio marchar y perderse entre los troncos de los pinos, sin hacer un solo gesto ni pronunciar una sola palabra para detenerle. Los ojos del viejo lagrimeaban como dos heridas frescas. Se llevó instintivamente las manos a la faja y murmuró para sus adentros:

—¡Pero qué astucia!

El aire del pinar estaba transido de galbana y era más bien el aliento cálido y pegajoso de los desperezos vegetales. Y el silencio del bosque se hizo sonoro, crecientemente sonoro...

* * *

Cuando Goyo y Felipón entraron en el corral de la barbería, se encontraron con un nutrido grupo de mozos que habían madrugado más que ellos y que aguardaban pacientemente su turno para ser atendidos por el Escaso, el barbero del pueblo. El taller del rapabarbas había pasado, por mor de la mucha parroquia, de la pequeña habitación del portal al sombrajo de la parra. Los parroquianos pasaban el tiempo charlando y fumando, unos sentados en taburetes y otros en el suelo o bien recostados contra la pared. En el centro se alzaba el sillón y, sobre él, un muchachote de pelos revueltos que se sometía mansamente, casi sin resollar, a las manipulaciones del Escaso que entonces le pasaba un dedo por los labios, rebañándole la espuma de jabón que le tapaba la boca.

Estaba hablando el Escaso y Goyo le interrumpió:

—¿Y quién te manda a ti hablar de casorios, vamos a ver?

El barbero se quedó mirando fijamente a los recién llegados. Apretó los labios y les increpó con su voz de falsete:

—¿Y quién os da a vosotros vela en este entierro?

—¡Ahí va! ¿Qué te parece, Felipón, por donde nos sale éste? — preguntó Goyo a su compañero guiñándole un ojo y riendo con toda la boca.

—¡Bocazas, más que bocazas! — silbó el Escaso, blanco de ira y esgrimiendo la navaja con su mano temblona.

—¡Quita eso! — barboteó Felipón y fue a darle un manotazo, pero le contuvo Goyo.

Mientras la mayoría de los asistentes contemplaban y coreaban la escena con risotadas y muecas de regocijo, uno de los parroquianos se interpuso entre el barbero y los provocadores, diciendo a éstos en tono apaciguador:

—¡Dejarlo, hombres! Que ya está bien. No le saquéis más de sus casillas que tiene que rasurarnos a todos...

El sentado en el sillón dejó oír asimismo su protesta:

—¡Sandiez! Que ya se me está secando el jabón en la cara y no se puede resistir el picor...

Goyo y Felipón bajaron los brazos tendidos hacia el Escaso y se tiraron de los pantalones para arriba, encubriendo con un gesto fanfarrón su cambio de actitud. Los demás se volvieron a sus sitios y Goyo dijo, sonriendo:

—Pero si no era más que una broma, tú.

—Se entiende que no era más que una broma — corroboró Felipón —. Hay que tener más correa, Escaso.

El Escaso se mordió los labios y no dijo nada. Un súbito relajamiento le obligó a dejar caer los brazos a lo largo del cuerpo.

El del sillón botaba de impaciencia:

—Pero, ¿me rasuras o no? Mira que me quito el jabón — exclamó revolviéndose muy nervioso — ¡Dios, cómo pica esto! — y estornudó ruidosamente, manchándose los pantalones de pana oscura con la espuma de jabón que aventaban sus estornudos.

—Hala — y el apaciguador golpeó amistosamente la espalda al barbero —, rasúranos en paz y en gracia de Dios.

Pero el barbero, que parecía anonadado, cerró de pronto

la navaja de afeitar y giró sobre sus talones. El del sillón se quedó con la boca abierta, muy sorprendido, al ver que el Escaso le daba la espalda y se dirigía hacia el interior de la casa.

—¡Maldita sea! —y empezó a quitarse a puñadas el jabón de la cara—. Ya podíais haber dejado la broma para después...

—Se va a darle al morro para coger fuerza —dijo Goyo—. Siempre que se cabrea hace lo mismo.

El Escaso entró en la cocina y buscó algo con la mirada. Luego, se fue derecho hacia el porrón del vino puesto a enfriar en la ventana. Una vieja que hurgaba en la lumbre se volvió a mirarle y dijo:

—¿Qué andas, Albino?

Pero el barbero no contestó. Había cogido ya el porrón y bebió un largo trago, pero no por el fino pitorro sino por la ancha boca del cuello. Después respiró profundamente, con gozo animal, para poder beber de nuevo, pero la segunda vez el trago fue mucho más corto.

—Pero, ¿por qué bebes tanto? —se lamentó la vieja, que se había enderezado sobre el lar.

Pero el barbero no contestó ni acusó en lo más mínimo la presencia de aquella mujer. Después de secarse los labios con el dorso de la mano, apareció de nuevo, pero ya muy sonriente, ante su clientela. Al llegar a la sombra de la parra, el del sillón, que aparecía con el rostro totalmente limpio de espuma jabonosa, le dijo, malhumorado:

—Yo que tú me voy a Cuba...

El Escaso le miró y se echó a reír.

—Zagal, si no podía ya tenerme de sed... —Se dio un golpe en la panza y añadió—: Me pedía agua, pero yo, para llevarle la contra, le he echado vino...

—Pues siempre estás llevándole la contraria al cuerpo —comentó el apaciguador.

Conteniéndose la risa, que le sacudía a golpes, el barbero cogió la brocha y comenzó a jabonar de nuevo al barbado rostro del paciente que ocupaba el sillón.

—Pues, como os iba diciendo, esta noche va a haber para todo el que quiera emborracharse — dijo Goyo —. Treinta arrobas de vino tiene la cuba que hemos atado en lo alto de los postes.

—Esa es la fuente de vino que dicen, ¿no? — le preguntaron.

—Cabalito.

—En cuanto Martín le suelte el chorro, ya no parará de manar vino hasta que se acabe — dijo Felipón.

—Anda, que vamos a parecer gurriatos en el nido, todos con la boca abierta...

Sonó entonces el chasquido de una bofetada, acompañada de una enérgica exclamación:

—¡Órdigas!

Las moscas de la parra eran verdes, pequeñas y agilísimas. Ocultas entre la fronda, saltaban de pronto sobre su víctima y le clavaban el diminuto aguijón con furia verdaderamente diabólica. Sus atracciones predilectas eran la cara del afeitando, a medida que se iba quedando suave y limpia, y la del barbero, rezumante de grasa. Albino se las espantaba con resoplidos y a manotazos, pero el otro no podía moverse por temor a que, a una brusca sacudida, el Escaso le rebanase la nuez o una oreja, y tenía que limitarse, por eso, a arrugar la nariz, a mover los párpados o a hacer muecas. Pero las moscas daban un pequeño salto en el aire y volvían a la carga con más encono. Tres o cuatro eran suficientes para cosquillearle en los ojos, hurgarle en la nariz y correr por las carnosas revueltas de las orejas, todo a la vez.

Y fue aprovechando un alto precisamente, al dar el barbero unos pases a la navaja sobre la palma de la mano, cuando el paciente del sillón se dio a sí mismo una rabiosa bofetada para aplastar uno de aquellos pertinaces insectos.

—¡Dios, qué guantazo! — exclamó uno y los demás rieron.

Pero Albino se echó sobre el cliente, le cogió la punta de la nariz y le aplicó la navaja al labio superior. Y, en aquel instante, una gruesa gota de sudor que resbalaba por la nariz del Escaso fue a caer sobre un párpado del paciente. Éste cerró el ojo y sopló desesperado.

—Pues antiguamente — dijo el apaciguador — le metían a uno una nuez en la boca para poder afeitarle mejor. Y era la misma nuez para todos...

—Bueno, es que los antiguos eran más atrasados...

—Sí, sí... — continuó el apaciguador —. Pues díselo a ellos, a los viejos. Por lo que cuentan, en sus tiempos ataban a los perros con longaniza...

—¡A saber!

—¡Quita, tú!

Ya había acabado el afeitado y el hombre se frotaba gozosamente la cara con el trapo blancuzco del barbero. Uno de los mozos, Menegildo, cortó una hoja de parra y se la puso entre los labios. Los demás asentían a la charla con gestos parcos. Albino comenzó a pelar con la máquina el cogote del sentado en el sillón. Le había plantado previamente una boina en lo alto de la cabeza cortándole a seguido, mediante enérgicos tijeretazos, todo el pelo que sobrepasaba la boina. La máquina ya no hacía sino alisar y blanquear la media cabeza pelada.

El Escaso sopló la máquina y se volvió a medias para decir a Menegildo:

—Vete dándole jabón a otro para aligerar, tú.

Menegildo meneó la cabeza, pero le instaron:

—¡Venga, venga!

—Anda, hombre, no lo caviles. Si seguimos a este paso nos va a coger la hora del almuerzo sin apañar todavía.

Menegildo cogió de mala gana la bacía, rebosante de espuma de jabón, empuñó la brocha y se dirigió a todos:

—¿A quién le toca?

—A mí — respondió el apaciguador.

—Pues, hala, ño.

Se le acercó Menegildo, mascando todavía la hoja de parra, y le pasó la brocha por la barba chivona. Mientras, Albino quitó la boina al del sillón y le dijo:

—¡Aire, tú, que ya estás listo!

El recién pelado y afeitado se puso en pie. Presentaba una cabeza en forma de brocha.

—¡Vaya molondra que te han dejado! — exclamó Felipón.

—Le he hecho el avío propio nada más — dijo Albino a los circunstantes y, dirigiéndose en particular a su víctima, le preguntó —: ¿Tú no me dijiste que eras invitado a la boda?

—Pues claro — le contestó el cuitado —. Voy por el padrino.

—Entonces...

—Pero si yo no digo nada, ño. Yo ya sabía cómo tenías que pelarme. Ahora que en cuantito amanezca mañana, me tienes aquí el primero para que me apures también la cresta — y se cogió de un puñado los mechones del cráneo.

—Anda tú, y yo también — dijo Goyo.

—Pero ¿es que tú también estás invitado? — preguntó el barbero a Goyo, cerrando los ojos de risa —. Pues vas a estar de rechupete...

—Pues por parte del novio nada más, como yo — terció Felipón —. Y me creo que todos los que estamos aquí somos invitados.

—Pues conmigo — y Goyo lo dijo en tono jocoso — ya te puedes andar con tiento. Si te extralimitas, te majo.

—Bueno, anda ya conmigo, Escaso, y dejaros de gaitas — y el apaciguador, con la cara totalmente enjabonada, tomó asiento en el sillón de las torturas —. Que armáis una cuestión por nada. ¿No es esa la costumbre en las bodas? Pues ya está.

El servido se marchó sacudiéndose los pelos que llevaba sobre la camisa y Albino aprovechó el breve paréntesis para limpiarse el sudor de la frente con el antebrazo. Luego, volvió a coger la navaja, murmurando:

—Fachendoso de... — y en seguida empezó a pasar la navaja por la correa del suavizador.

Después de una pausa, dijo Menegildo:

—Me parece que todos estamos pensando en lo mismo. ¡A que sí! — y se relamió.

—¡A ver! En la noche que le espera al Negro — dijo uno, sudando y moviendo los ojos.

—¡Huy! — exclamó otro, abriendo los ojos de par en par y estirando el cuello.

—¡Cállate, grajo! — le reconvinieron ásperamente, y él tragó saliva y se quedó con la boca abierta.

Siguió un silencio en que todos se miraban, indecisos. Sólo se oía el aletear de alguna mosca y el raspear de la navaja. Al rato, uno de los mozos dijo:

—Será si no viene el Isabelo.

—Que venga o que no venga, no hay quien le quite la cencerrada al Negro. Al fin y al cabo, el Isabelo, ¿qué? Él ya no es nada de la Ilu. ¿No la dejó? Pues es igual que nosotros para el caso — dijo Goyo.

—No, que él es el más despreciado — arguyó Menegildo.

—Despreciados lo somos todos — replicó Goyo —. Y está mal que yo lo diga siendo invitado por el novio...

Menegildo volvió a la carga:

—Puede que así sea, puede. Pero el Margarito y sus parientes andan muy removidos diciendo que si van a hacer esto y lo otro cuando llegue el Isabelo. Si no viene, no harán nada, claro está, ellos solos, pero si se presenta, esos zagales arman la tremenda.

—La armaremos entre todos — dijo entonces Felipón —. Así como así no se lleva un viudo una de nuestras mozas. Y menos siendo de sabe Dios dónde. Al fin y al cabo, el Negro nos roba por dos partes: por los dineros del común y por la moza. Si lo consentimos sin hacer una muy sonada, ya no podremos asomar el morro por ninguna parte. Nada más aparecer en cualquier pueblo de alrededor, nos mojarán la oreja.

—¡Así es, mecá!

—Yo no tengo al Negro por mal hombre — dijo el del sillón atento a la charla. Como su antecesor en el suplicio, arrugaba las narices y hacía muecas para ahuyentar las moscas. Albino, casi encima de él, le soplaba gotas de sudor en la cara...

—Eso, no. No es malo el Negro — convino Goyo —. Y paga bien el trabajo. Yo y el Felipón llevamos un año con él, poco más o menos, y nos trata como nadie. Lo mismo puede decir el Lucio, y todos los demás. Pero, órdigas, es forastero y viudo al remate.

—Pues habrá que tentarse la ropa con él — se oyó decir a otro —. Dicen que allá mataba negros como si fueran gorriones...

Felipón lanzó una mano para atrapar una mosca que le había picado en la nariz, y dijo:

—¡Bah! Negros, puede. Claro, allí no hay civiles, ni ley ni nada... Aquí ya se lo pensará mejor.

—Entonces, después de la juerga, la cencerrada, ¿no? — le preguntaron.

—Y lo que caiga de propina — respondió Felipón guiñando maliciosamente un ojo a Goyo —. Alguna bromeja puede que le preparen también...

Se quedaron pensativos. Entonces sopló de puro gozo el del sillón. Terminado su afeitado, el barbero le colocaba en la cabeza la misma boina que al anterior para proceder seguidamente a cortarle el pelo. Antes de coger la tijera, dijo el barbero a Menegildo:

—Ya puedes ir dándole otra vez a la brocha, tú.

—Ahora me toca a mí — replicó el aludido y cogió la bacía.

Goyo, después de una hueca risotada, se acercó al que estaba pelando el Escaso y, levantándole la barbilla, le espetó:

—¡Vas a estar de capricho, chacho!

Pero los demás no corearon esa vez su ocurrencia. Uno bostezó y el bostezo se fue corriendo de boca en boca... Y por un largo rato no se oyó bajo la parra más que los chasquidos de las voraces tijeras del Escaso.

V

Rosa, discretamente asomada al balcón, vio venir a los dos hermanos en compañía de Martín. Hablaban éste y Luciano mientras José parecía escuchar distraídamente. Rosa estaba sombría. Un leve tinte crepuscular oscurecía sus párpados y daba a sus ojos una profundidad y una tristeza más desoladas. Empezaba a quebrarse la tersura de su rostro, como la de esas frutas que se queman en un mediodía de sol. En los labios, especialmente, plegados y abatidos, se dibujaba el paso de una batalla perdida. Y todo su cuerpo también parecía macerado por la desilusión.

Rosa miraba alternativamente a los tres hombres, pero, después de cada repaso, sus ojos quedaban fijos en el más alto y garboso, en Luciano el Negro. A poca distancia ya de la casa se pararon los hombres, tal vez para fijar alguna idea escurridiza o para concretar algún extremo de la charla, y los tres, instintivamente, miraron al balcón. Entonces ella, sorprendida, dejó escapar un mohín de disgusto y se adentró en la alcoba. Y, de espaldas al balcón, cerró los ojos hasta que sus nervios se apaciguaron.

Encima de la cama matrimonial se veían, cuidadosamente plegadas y colocadas, diversas prendas de vestir, de adulto y de niño, entre ellas dos camisas de hombre, blanquísimas. Rosa las repasó todas con la mirada, como recontándolas e identificándolas mentalmente. Se veía que deseaba concentrar toda su atención en aquel examen, por el fruncimiento de las cejas y de los labios. Y cuando hubo dado por terminada la revisión de las prendas, y otra vez afloraba a su expresión una íntima inquietud dominante, se oyeron las voces de los hombres en el portal. Eran Luciano y José, que llegaban, y Rosa se acercó a la puerta de la alcoba, que daba sobre el pasillo.

—Lo que te ha dicho Martín, puedes creerlo, Luciano —decía José—. Es un hombre formal y no es de suponer que quiera alarmarte. No estaría de más, no, que mandases un propio, o que fuera el mismo Martín, a dar parte de lo que se prepara a la Guardia Civil. Total es una legua de camino, y, con una pareja de guardias esta tarde en el pueblo, es seguro que nadie se atreva a pasarse de la raya. Ya sabes lo que es esta gente: muy primitiva y muy exaltada en algunos momentos, pero, quizás por eso mismo, muy respetuosa con el uniforme, y más si el uniforme es el de la Guardia Civil...

—Hombre, eso de llamar a la Guardia Civil, no me parece lo más propio para una boda —repuso Luciano.

José replicó:

—Bueno, bueno, es que tú no sabes hasta dónde es capaz de llegar esta gente. Y no es que sean malos, no. Nada de eso. En el fondo, son nobles y enteros. Pero es que tienen una idea exagerada de la hombría. Y por un pujo de hombría son capaces de la mayor barbaridad... —siguió una pequeña pausa y, luego, continuó—: No olvides que, sin quererlo, has desafiado a todos: a los jóvenes, porque creen que les has quitado una moza, una moza con la que ya no se hubiera casado ninguno por haberla dejado el novio, que es lo curioso; y a los viejos, porque tú has venido a romper una costumbre... No, no hace falte que lo niegues...

—Pero si yo he querido hacerlo todo a la antigua, José.

—Te repito que ya lo sé. Pero ellos no lo ven así. Viven pegados como lapas a sus costumbres. No hay quien los mueva. Si lo sabré yo que soy el maestro. Quise hacer algo al principio, pero tuve que renunciar. Yo no pude con los chicos ni Rosa con las chicas.

Siguió otra pausa. Rosa continuaba asomada a la puerta, escuchando. Y, de nuevo, la voz de José:

—Tienes que perdonarme que sea tan remachón, pero es que no me gusta el aire del pueblo esta mañana. Ya cambió desde el día en que se supo tu compromiso con Iluminada. ¿Tú ves que el alcalde te pone tan buena cara? Pues es para ver si te saca algunos cuartos para el pueblo. Él mismo me ha dicho a mí, sin embargo, que le parece una locura tu casamiento con una moza de aquí. Y, mira: hasta los chicos se atreven a escribir en la pizarra y en las mesas cosas alusivas a tu boda en cuanto yo me descuido.

—¿Ah, sí? —dijo Luciano subiendo la voz—. Pues conmigo así peor. A terco no hay quien me gane. El dinero que yo pueda dar, y el que todos los años le corresponda a Ilu de la parte del común, para la escuela han de ser.

Rosa sonrió pálidamente. La voz de Luciano subía por la escalera como una sombra que lo oscureciera y lo apagara todo.

—Ese es otro cantar, y me parece bien, y no porque yo sea el maestro. Pero —insistió José— ¿qué pierdes con hacer lo que yo te digo? Si quieres salgo y llamo a Martín, que no andará muy lejos...

—¡Quieto! Pues, a lo mejor, todo. Mira: no hay quien me libre de una batalla contra el pueblo. Tarde o temprano, se ha de dar. Pues que sea cuanto antes. Y no tiene que quedar ninguna duda referente al resultado. Si por traer la Guardia Civil no pasa nada hoy, la cuestión quedará pendiente para otro día, y es peor. O herrar o quitar el banco, ¿estamos? Pero de una vez.

Siguió otro silencio a estas palabras. Rosa aguzó el oído y al asomar la cabeza debió percibir el olor a verduras cocidas que se desparramaba por toda la casa, porque hizo un gesto y se asomó a sus labios una impresión de asco.

—Bueno, ya veo que no hay quien te haga cambiar de idea. Quiera Dios que todo salga bien y que no te muerdan —tornó a decir José.

—En peores situaciones me he visto y...

—Pero tengo unas ganas de que pase todo esto, Luciano... Anoche no pegué el ojo — Rosa se sonrió —. Rosa te lo puede decir.

Entonces la voz de Luciano sonó jovialmente:

—Tú es que eres muy aprensivo, José, te lo tengo dicho. Pero vamos a dejar esto. Llevamos ya demasiado tiempo dándole vueltas a lo mismo... Escucha ahora: cuando regresemos del viaje de bodas Ilu y yo, os váis vosotros dos y los niños a daros también una vuelta por ahí. ¿No le gustaría a Rosa pasarse unos buenos días en Madrid? — Rosa contuvo la respiración, sorprendida.

—Hombre, yo creo que sí, pero...

—Nada. Quedamos en eso. Y no te apures. Aquí seremos los amos tú y yo. Quieran o no quieran, tú y yo los amos.

La conversación entre los dos hermanos tocaba a su fin y Rosa se separó de la puerta.

—Y ahora, vamos a afeitarnos. A mí me da mucha pereza hacerlo después de comer.

—A mí también, Luciano.

Rosa dio unos pasos hacia atrás y percibió, ya más apagada, la voz del Negro:

—Y que no se te olvide, José: tú y yo, los amos.

Luego oyó que las escaleras crujían bajo los pies de su marido, que subía lentamente, carraspeando, y se dirigió al armario ropero. Lo abrió y, de espaldas a la puerta, comenzó a hurgar entre las ropas. Mientras, siguió con atento oído las pisadas de José, cada vez más cercanas, mezclado ya su rumor con el de la respiración algo fatigada.

—¡Hola! — saludó José al entrar.

—¡Hola! — respondió ella sin volverse.

—¿Y los chicos?

—Se fueron a jugar con los del médico.

—¡Vaya!

Rosa se volvió rápida:

—No te sientes en la cama, hombre.

José quedó un poco perplejo, apoyada la mano en el barandal de los pies del lecho.

—No sé cómo se te antoja que pueda yo sentarme en la cama estando, como está, toda ocupada por la ropa.

—Es que como tienes esa maldita costumbre...

—¡Vaya! — y José, tras un gesto de resignación, buscó con la mirada la única silla del cuarto. Pero estaba ocupada también por el vestido de gala de Rosa, tendido sobre su respaldo, y José no sabía cómo quitarlo de allí. Acudió Rosa, tiró de él enérgicamente y luego fue a colocarlo con mimo sobre la barandilla de los pies de la cama mientras el hombre murmuraba:

—Menos mal...

—Que vendrás muy cansado, vamos — gruñó ella.

—Pues sí, no te creas... — y José quedóse callado mirando a su mujer.

Rosa le miraba, a su vez, inquisitiva:

—¿Qué? ¿Qué tal? — preguntóle.

José tenía las manos apoyadas en los muslos. Iba a contestar, pero se le adelantó Rosa:

—Tírate de los pantalones, hombre, que luego se te hacen unas rodilleras horribles y pareces un destripaterrones de esos.

José obedeció, murmurando:

—La verdad es que llevas una temporada que no me dejas vivir.

—Claro, si tu gusto sería el de ir de cualquier manera. Anda, anda, aprende de tu hermano.

—¿Otra vez? — y el marido frunció las anchas cejas. Su voz apenas velaba un dolorido reproche —. Mi hermano es él, y yo soy yo.

Tal vez no hubiera herida aún, pero las continuas incisiones del malhumor de Rosa coincidían en el mismo punto siempre, y a él le dolía y le exasperaba.

—Está bien—dejó escapar entre dientes Rosa al tiempo de mover la cabeza con aire conmiserativo.

José, según su costumbre, se había quedado con la vista fija en las puntas de sus zapatos, entre triste y enfadado.

—Pero todavía no me has dicho qué te ha parecido la casa con todo lo que tiene dentro. ¿Cómo hay que sacarte a ti las palabras, quieres decírmelo?

—Pero si no me dejas...

Y la mirada plácida de José se alzó desde sus zapatos hasta los ojos de Rosa, sumisamente. Ella, entonces, sonrió con levedad.

—Pues, anda, dímelo.

José sonrió ampliamente, y dijo:

—Un dineral, chica, aquello vale un dineral.

—Pero, ¿cómo es?

Él hizo un gesto de impotencia con los hombros y movió los brazos en el aire.

—Algo nunca visto, Rosa. Ha echado el resto. Y yo no sé cómo explicártelo, pero ya lo verás tú misma, mañana.

Pero Rosa le volvió la espalda en un súbito arranque. Luego, dijo:

—Y todo para esta zafia que huele a estiércol...—y con sangriento tono de burla, remachó—: ¡Para la hija del Trucha! ¿Qué te parece?

José, con vivas muestras de nerviosismo, se puso un dedo en los labios y siseó.

—Y a ti, ¿qué te importa, mujer?—le dijo en voz muy baja y silbante.

Rosa se puso de nuevo frente a su marido y avanzó hacia él, encorvada, las manos por delante, silbando las palabras:

—Sí que me importa, ¿sabes? Es tu hermano y me duele que haga el ridículo. ¿No te da a ti vergüenza que se case con ella?

—¡Rosa! —suplicó José, alarmado, y se levantó a cerrar la puerta de la alcoba.

Rosa se detuvo y cuando José, apoyado sobre la puerta, le recomendaba discreción por medio de gestos vehementes, continuó:

—Pero si todo el mundo lo comenta...

Los labios de Rosa eran un surco de crueldad y sus palabras, un chorro de odio encendido. José estaba pálido, pero ella no cejó:

—¿Es que no es la comidilla del pueblo lo de sus lunares como lentejas? ¡Es una zorra y nada más que una zorra! Y él se merece algo más. Tú eres su hermano y debías habérselo dicho con tiempo. ¡Tú, tú tenías que habérselo dicho! Pero, no. Te ha dado miedo seguramente.

José movía las manos con desesperación.

—Pero si, a lo mejor, todo eso no son más que infundios, Rosa.

Pero Rosa se mostró inexorable con su marido.

—Di mejor que te ha dado miedo. ¡Dilo!

Instintivamente habían avanzado el uno hacia el otro y casi se rozaban. José fue sacudido por un ramalazo de amor propio.

—¡Rosa! —y encajó los dientes.

Ella dio unos pasos atrás. Y, tras una brevísima pausa en que los ojos de los dos se hirieron mutuamente, él dijo, con voz quebrada:

—Eso no se le puede decir a ningún hombre de la mujer que quiere. Si alguien se hubiera atrevido a decirme de ti una cosa semejante... No sé. No soy ningún jaque, pero creo que lo hubiera matado. ¡Sí, le hubiera matado!

Lo dijo con convicción, temblando. Rosa, entonces, se tapó la cara con las manos, hiriéndose con las uñas:

—¡No compares! ¡No compares, por Dios! —gritó, ahogando el grito con las manos.

—Si no comparo, Rosa —dijo José gravemente—.

Pero es preciso ponerse en la situación de cada uno.

—Me has comparado, me has comparado... ¡José, me has comparado con esa! — gimió la mujer, casi estrangulada por un repentino sollozo que no le cabía en el pecho.

Rosa se tambaleaba y José hubo de sostenerla.

—Vamos, vamos, mujer. No sé por qué tienes que ponerte así. En fin de cuentas, Luciano tiene edad suficiente para saber lo que hace.

Pero ella siguió diciendo mientras hipaba, convulsa, sobre el hombro de su marido:

—Mira que compararme con ella, José... Desde que pude vestirme y lavarme sola, ni las manos de mi madre me tocaron hasta que fui tu mujer. Mi piel era como la de una niña por eso... Tú me lo decías siempre, José.

—Claro que sí, boba, claro que sí.

Y se quedaron callados, juntas las cabezas y cerrados los ojos, unos largos minutos.

—Eres mala a veces, Rosa — dijo luego él, dulcemente.

Ella se estremeció y en los labios de José apareció una paternal y comprensiva sonrisa.

—Sí, a veces lo soy. No quiero, pero lo soy.

—Antes no erás así.

Rosa se separó ya de su marido y le cogió el pañuelo para enjugarse las lágrimas.

—Anda — dijo él — y que no te vea más así — y añadió, cogiéndole la barbilla —: Después de la novia tú has de ser la más mirada hoy... ¡Vaya una madrina guapa!

La mujer bajó la cabeza y se dirigió al pequeño tablero forrado de vistosas cretonas, que le servía de tocador.

—¿No tenías que afeitarte tú? — murmuró sin volver los ojos hacia él.

José se pasó una mano por la barba y se echó a reír, diciendo:

—Pues es verdad.

Se quedaron de espaldas; ella, empolvándose la nariz junto al tocador; él, preparando los avíos de afeitar, colocados en la repisa del lavabo. No obstante, podían verse a través de los espejos.

—Me ha encargado Luciano que te diga que él se hace cargo del porvenir de nuestros hijos, ¿qué te parece? —y espió el rostro de Rosa para ver el efecto que le causaban sus palabras.

Pero ella no dejó traslucir la más mínima emoción.

—Ya es algo —murmuró mirándose la punta de la nariz.

José enjabonaba la brocha a tientas por no quitar el ojo a su mujer.

—Y otra cosa: cuando vuelva de su viaje de novios —y entonces vio que Rosa le miraba también y que su mirada, reflejada por el azogue, parecía muy lejana y muy fría— nos pagará a nosotros un viaje a Madrid, si queremos. Vaya, otro viaje de novios para nosotros...

Ella plegó los labios y sonrió despectivamente.

—¡Qué caritativo! —exclamó.

—¿Es que no te gustaría?

Pero Rosa no respondió. José se encogió de hombros y comenzó a pasarse la espumosa brocha sobre la barba.

Después de un rato de silencio, en que los ojos de José buscaron inútilmente los de Rosa, que se obstinaban en rehuirlos, ella dio por terminado su tocado. Se dirigió después a la cama y cogió una de las camisas de hombre, que se colocó sobre las palmas de las manos como si se tratase de un objeto precioso.

—Voy a ver cómo anda la comida y a llevar a Luciano su camisa de boda.

José, que tenía ya las mejillas embadurnadas, se volvió a mirarla con irreprimible afecto. Rosa siguió hasta la puerta que abrió con una mano mientras con la otra oprimía la camisa contra su pecho. Desde allí dijo con voz oscura:

—Yo creo que todas las mujeres somos malas alguna vez. Pues a mí me ha tocado ahora, me parece.

El marido la vio desaparecer sonriendo candorosamente bajo la grotesca máscara de jabón. Y, cuando se miró al espejo otra vez, se contestó a sí mismo con un encogimiento de hombros.

Rosa, por su parte, después de cerrar tras sí la puerta de la alcoba matrimonial, descendió rápidamente la escalera.

—¡Mariana! — llamó, asomándose a la cocina —. ¿Le falta mucho a la comida?

La sirvienta no contestó al pronto, sino que se adelantó hacia ella mientras se secaba las manos en el áspero mandil.

—Tengo el caldo apartado ya, y, en cuanto usted diga, sofrío la verdura.

—Está bien, pero ahora vete por los niños, anda. Que hoy hay que comer temprano.

Mariana asintió con un movimiento de cabeza y salió, pasando por delante de su señora. Ésta esperó a que Mariana desapareciera en la calle para acercarse a la puerta del cuarto de Luciano y llamar.

—Pasa — le contestó desde dentro la voz profunda de su cuñado.

Luciano, vuelto hacia la puerta, se enjugaba el rostro recién afeitado. Estaba sin chaqueta, con la camisa remangada en los brazos y abierta por el pecho. Al ver a Rosa, se contrajo la expresión de su rostro y, sin apartar la vista de ella, dejó la toalla en el brazo del lavabo y comenzó a abrocharse la camisa.

—¿Qué quieres ahora? — le preguntó secamente mientras ella cerraba la puerta tras de sí.

Rosa le mostró la camisa, como un presente, y contestó:

—Tu camisa de boda. Es la última camisa que te plancho.

—Bueno, la habrá planchado Mariana.

—No. Ésta he querido plancharla yo misma.

—Pues déjala ahí, sobre la cama.

Mientras lo hacía así, Rosa murmuró:

—Desde aquella noche, no he vuelto a molestarte más.

Luciano permaneció en silencio mirándola. Ella había avanzado unos pasos hacia el Negro y le miraba con unos ojos tiernos y profundos.

—Quiero que me perdones hoy, Luciano — dijo con acento suplicante y trémulo.

—Perdonarte, ¿qué?

—Todo lo que te he dicho y todo lo malo que te he hecho.

Como Luciano meneara la cabeza, Rosa acentuó la angustia de sus palabras:

—¿Es que no me perdonas?

El hombre se abotonaba los puños de la camisa y contestó, mirándose las manos atentamente:

—Una sola cosa hay en la vida a la que tenga miedo. Una sola.

No parecía haber dicho todo lo que pensaba y Rosa esperó. Luciano terminó de abrocharse los puños y luego miró a su cuñada.

—A lo único que le tengo miedo en esta vida es a una mujer que pide perdón por lo que no pudo conseguir.

Rosa daba muestras de no comprenderlo, y Luciano movía la cabeza afirmativamente al tiempo de irle clavando poco a poco las pupilas en el alma. Indudablemente, el hombre gozaba con la perplejidad de la mujer.

—Porque es mentira — continuó diciendo después de una pausa —. Porque no es más que un pretexto para hablar de lo mismo y arrastrarle a uno.

Ella denegaba con la cabeza nerviosamente.

—¿Es que ya no te gusto, Rosa? ¿Ya no soy tan hombre como decías?

Y seguía, con implacable encarnizamiento, el azorado aleteo de las pupilas de la mujer. Y ella tembló como si estuviera desnuda.

—Anda, aquí me tienes por única vez en la vida... No tengas miedo, anda... —dijo de nuevo él con fría delectación y cruzándose los brazos tras la espalda—. ¡Aprovéchate!

Luciano estaba erguido, tieso. La expresión de sus ojos era cruel, pero la boca se le había ablandado con una sonrisa. Era la suya una boca áspera, de labios oscuros sobre grandes dientes blancos.

Rosa, enlazadas las manos cuyos dedos se retorcían entre sí, veía, fascinada, la sima devoradora de la boca del hombre. Y aquellos labios oscuros se movieron sobre los blancos dientes para decir:

—¿O es que te ha quitado la fuerza el saber que el cargo de tus hijos corre de mi cuenta? —sonrió cruelmente y añadió con sarcasmo—: Pero tú no verás una perra. ¡Ni una!

Entonces Rosa saltó sobre él... Y Luciano permaneció inmóvil mientras ella le clavaba las uñas en las mejillas y le mordía furiosamente los labios.

Y entonces también se oyó en la calle la voz de Mariana:

—Vosotros no me hagáis caso, si no queréis. Pero vuestra mamá os ajustará luego las cuentas...

Y la de un chiquillo:

—Ahora iremos. Si es muy temprano todavía...

Rosa soltó rápidamente a Luciano y, sin mirarle siquiera ni decirle nada, recogiéndose el pelo para atrás con las manos, corrió hacia la puerta, la abrió y salió. Mientras, el Negro se relamía los labios doloridos.

Rosa cruzó el portal y desapareció en la cocina al tiempo que Mariana entraba de la calle. La doméstica volvió la vista desde la espalda de su señora a la puerta abierta del cuarto del Negro, y se quedó un momento indecisa. Pero luego se dirigió de prisa al cuarto del hombre. Luciano en aquel momento se apretaba la toalla contra ambas mejillas.

—¿Qué te ha pasado? — preguntóle Mariana andando hacia él.

—Nada — respondió el Negro — que me he hecho unas cortaduras al afeitarme.

La muchacha meneó la cabeza mirándole con ojos incrédulos. Luego, se dirigió al lavabo, cogió la palangana y, al tiempo de verter el agua sucia en el cubo, preguntó en voz baja:

—Entonces, ¿ya no nos veremos más a solas?

—No — contestó el Negro, ahogando la voz con la toalla —. Ya no iré más a buscarte por las noches. Eso ya lo sabías.

Sonó el agua cayendo a chorro en el cubo y su ruido ahogó la única palabra de réplica de la mujer:

—Claro.

Luciano cogió la chaqueta y extrajo un sobre de uno de sus bolsillos.

—Toma — dijo después a Mariana —. Para tu ajuar. Y guárdatelo. Cuando te cases, te haré un regalo mayor todavía

Mariana sostenía el cubo por las asas con las dos manos y le miraba, indecisa, con sus grandes ojos que parecían enfermos sobre aquella faz pálida y delgada. Él insistió apremiantemente y con imperio:

—Guárdatelo, mujer. ¡Vamos!

Al soltar una mano para coger el sobre, el agua bailó en el cubo y se derramó sobre sus pies calzados con alpargatas, pero ella lo ocultó rápidamente en el estrecho seno.

—Y no se lo des a tus padres. Es para ti solamente — murmuró él, mirándola con patente ternura —. Me acordaré siempre de ti, Mariana. Y me tendrás siempre que me necesites...

Mariana, frágil y pálida, tembló como una hoja. Estaba a punto de llorar, pero se contuvo.

—En mí tendrás siempre un buen amigo. No lo dudes.

Después, ella, con la vista baja y con acento suplicante, dijo:

—¿Le hablarás a la Ilu para que me deje lavarte la ropa mientras yo pueda? ¿Te acordarás de decírselo?

Las voces de los chiquillos, que llegaban corriendo, sonaban ya casi en el portal.

—Descuida, mujer. Se lo diré a la Ilu.

Y ella sonrió de gozo y dio las gracias al hombre con una mirada húmeda y alegre.

—¡Mamá, mamá! Ha sido éste el que no quería venir.

—¡Mentira! Ha sido él.

Los dos chiquillos morenos irrumpieron en el portal, sudorosos y despeinados. Rosa salió a sus voces y entonces vio a Mariana en la puerta del cuarto del Negro con el cubo de las aguas sucias en la mano. La muchacha sonreía aún, enajenada, y a los ojos de Rosa asomó una sospecha increíble. Sólo dijo:

—Vamos, que...

VI

MARGARITO dio una patada al saco apoyado contra uno de los postes que sostenían el tejado de la paridera, y el contenido del saco empezó a bullir y sonaron dentro unos quejidos furiosos.

—Déjalos ya, no sea que rabien antes de tiempo — dijo uno de los cuatro mozos que, sentados en el suelo, cortaban tiras de un viejo odre de aceite.

—¡Mejor! — exclamó Margarito riéndose crudamente, y castigó con otro puntapié al semoviente bulto.

Entonces el rumor del saco fue más fuerte, con resonancias metálicas, y las sacudidas, más bruscas.

—¡Que los dejes, ño!

Pelocabra se encaró con el mozo:

—Si tienen que rabiar de todas maneras, Santos — y apretó las mandíbulas.

—Pues que rabien cuando sea, pero no ahora. Luego habrá que echarlos fuera y si le muerden a uno...

La paridera era un vasto local con paredes de piedra sin amalgamar, por entre cuyos intersticios se filtraba la luz. El suelo estaba cubierto de pajuela hecha polvo y por excrementos ovinos, decolorados y desodorados por el tiempo. No obstante, el olor era agrio allí, como a leche fermentada o como a pertinaces orines de ganado.

Mientras los animales encerrados en el saco maullaban con felino rencor, Pelocabra, de movimientos bruscos y ágiles a pesar de su bastedad de olivo, se había trasladado ya a un rincón donde se apilaban, en gran número, cencerros y esquilas de ganado. Allí volvió a dar con el pie fuertemente. A la sacudida, algunas piezas cayeron desde la cúspide arrastrando un bronco estrépito. Y Margarito soltó una sonora carcajada y, dando un salto, quedó vuelto de espaldas a los cencerros y de frente a los mozos. Tan fuerte era la risa, que llenaba la oquedad de la paridera y le sacudía a él todo el cuerpo.

Los cuatro mozos sentados en el suelo rieron también, contagiados por aquella explosión poderosa.

—Va a estar bueno, ¿eh, Santos? — y Pelocabra se aproximó al grupo, riendo aún y sujetándose la cintura del pantalón con las manos.

—Sonada sí que lo va a ser — respondió el aludido —. Yo creo que lo van a oír hasta los muertos.

—¡Déjate de muertos ahora! — exclamó otro de los jóvenes.

Margarito había dejado ya de reír y sus ojos brillaban intensamente.

—Lo del Pote no va a ser nada en comparación — dijo con vehemencia —, y lo que dicen de cuando se casó el tío Juramentos con su prima viuda, va a parecer una broma de nada.

—¡Qué cencerrada, Dios! Mira que si se la pierde el Isabelo...

Margarito clavó sus ojos en los del mozo.

—Vendrá, Bastián, vendrá. Le escribí una esquela para que no falte y vendrá.

—¿Y si no viene porque no puede? — insistió Bastián.

El hermano de Isabelo pareció dudar un instante, pero contestó al fin, como si agrediera con sus palabras:

—Pues es igual. Para eso estamos nosotros aquí. Yo soy su hermano y vosotros sois primos carnales nuestros, de la misma sangre. A nosotros nos tocará dar el morro los primeros, pero ya nos acompañarán los amigos y los otros. Esto ya está hablado de más.

Bastián, Santos y los otros dos mozallones miraban al montón de tiras de cuero negruzco que tenían delante.

—¿Es que tenéis miedo? — les increpó desabridamente Margarito.

Los cuatro alzaron la vista para mirarle y uno de ellos exclamó con rabia:

—¡La madre que me parió!

—Ya sé que tú, no, Fernando — se adelantó a decir Pelocabra —. Pero, ¿y tú, Santos?, ¿y tú, Bastián?, ¿y tú, Bomba?

Cada uno de los interpelados le miró como un toro cuando va a cornear.

—¡No hay que ser tan chulo para hablar! — dijo Santos duramente.

—¡Eso mismo! — corroboró el Bomba en igual tono.

Y Bastián dijo:

—No parece sino que fueras a comerte el mundo tú solo.

Margarito, pletórico de sangre en la cabeza, rugió:

—¡Yo no hablo como un chulo, sino como un macho que soy!

—Pues machos somos nosotros también, digo yo — barbotó Santos.

—A la noche lo veremos — repuso Margarito.

—Pues el Negro también es macho. Lo tiene bien demostrado — dijo el Bomba.

—Ése no tiene hígados para mí — y luego fue señalando, uno a uno, a sus cuatro primos y repitiendo —: Ni para ti, ni para ti, ni para ti, ni para ti.

—A la noche lo veremos, majo — dijo entonces Bastián.

—Ya lo hemos de ver, ya — y Pelocabra enarboló el puño.

Se quedaron en silencio, tozudos y sombríos. La paridera era una isla en el centro de aquel trozo de monte bajo, y en todo el contorno no se oía un solo ruido. Era ya la hora en que los conejos y las perdices se angustian de calor y se quedan quietos en la sombra de las madrigueras y de las aliagas. Un sofoco especial, como de tormenta, gravitaba ostensiblemente sobre el campo.

De pronto, Fernando dijo:

—Pues no será muy hombre el Negro cuando se casa con una que ha tenido novio y que el novio la dejó después de hartarse con ella...

Margarito frunció las cejas y exclamó:

—¡Bah!

—Bueno, eso lo decía el Isabelo —dijo Santos—. ¡A saber!

—Pues mira tú lo de los lunares —terció el Bomba—. Tiene que dar gloria verlos tan grandes y donde los tiene...

—Entonces resulta que el Negro es un cabrón —y Fernando se echó a reír gordamente—. Eso: un cabrón es lo que es.

Margarito se había apartado del grupo y recogía los cencerros que rodaran del montón.

—Eso de los lunares me parece a mí una miaja de fantasía —y Santos meneó la cabeza dubitativamente—. En estas cosas de mujeres el que más y el que menos habla más de la cuenta... A mí nunca me dijo nada el Isabelo. Dicen que lo ha dicho, pero a mí no me lo ha dicho.

—¡Ahí va! Pues no me ha hecho coger a mí berrinches contándome lo que hacía con ella... —replicó el Bomba.

Santos se encogió de hombros. Bastián dijo entonces:

—La verdad es que a todos se nos va la fuerza por la boca. Y son las ganas que tenemos...

Los cuatro primos suspiraron gachonamente. Pelocabra, vuelto a medias hacia ellos, los observaba en silencio desde el rincón. De entre aquellos cinco hombres jóvenes, sólo él permanecía insensible a aquel súbito reblandecimiento sensual.

—Total: que esta noche va a haber un buen zafarrancho —y Santos estiró las piernas—. ¡Pues no se me han quedado dormidas las piernas...! —y se levantó cojeando.

—Yo creo que ya hemos partido bastantes tiras, ¿eh, Margarito? — y Bastián apoyó las manos en el suelo para poder levantarse. Luego, exclamó —: ¡Gibar, a mí también me hormiguean las piernas!

Fernando y el Bomba aguardaron a que contestase Margarito. Éste se acercó lentamente.

—Me está pareciendo que sí — contestó finalmente, y Fernando y el Bomba se levantaron también, no sin lanzar sus interjecciones.

Los mozos estiraban las piernas y Santos daba saltitos para desentumecerlas.

—Entonces, a la noche... — empezó a decir el Bomba.

—A la noche, cuando veamos cómo van las cosas, corremos la voz y nos venimos todos aquí. Vosotros cuatro traeros los borricos — les explicó Margarito —. La comparsa tiene que salir de aquí.

—Conformes — dijo Bastián.

Fernando, que era el más pequeño de todos en estatura, casi esmirriado, se frotó las manos de gusto. Y exclamó:

—¡Vaya bochinche, chachos!

Rieron todos menos Pelocabra.

—¿Y si vienen los civiles? — se le ocurrió preguntar de pronto a Santos.

—¿Y qué tienen que ver los civiles con esto? — replicóle bruscamente Margarito.

—Es que como tienen tan malas aguantaderas...

—Que tengan ni que no tengan, ellos no son quienes para meterse en esto. Siempre ha habido cencerradas y las habrá.

—Pues claro — aseveró Fernando.

Santos meneó la cabeza y dijo:

—Bueno, bueno, yo lo decía para estar en todo.

—En lo que hay que estar es en lo que hay que estar, y nada más — y el hijo de Pelocabra cruzó el aire con la mano, como si cortara con una batuta el desorden de una orquesta.

—Y si nos fuéramos a almorzar no creo que haríamos nada malo — propuso Bastián —. No es que tenga mucha hambre, chachos, pero sí ganas de echar un traguejo.

Pelocabra se encogió de hombros.

—Iros, si queréis — dijo.

—¿Tú no vienes? — le preguntaron.

Denegó con la cabeza y añadió:

—Yo me quedo hasta que pase el correo de subida.

—Puede que traiga al Isabelo — dijo el Bomba.

—Puede.

—De todas maneras — siguió el Bomba — queda el mixto de las ocho, que también para. Pues esta mañana yo no sentí el correo cuando bajaba.

—Pues bajó como siempre. Lo que pasa es que pita menos cuando va para abajo — le dijo Bastián.

Habían echado a andar hacia la puerta. El primero que salió fue Bastián, el más gordo de todos, que tuvo que amusgar los ojos. Todavía dijo Santos:

—¿No os parece, ya que estamos juntos, que podríamos darle otra vueltecilla a las coplejas?

—¡Quiá, hombre! Las tenemos ensayadas por demás — dijo el Bomba, saliéndose también al sol.

—A la noche, antes de la ronda, ya les daremos otro tiento para que luego nos salgan bien — dijo Pelocabra.

—La tuya de anoche sí que estuvo buena — exclamó admirativamente el enteco Fernando —. Era la comidilla del pueblo esta mañana.

Margarito se encogió de hombros.

—¡Bah! Eso no es nada para lo que tiene que oírse el Negro esta noche...

Salieron fuera todos menos Pelocabra, que se quedó en la sombra. La paridera estaba situada casi al término de la curva de hoz con que el monte abrazaba al pueblo por detrás. De allí, los cinco hombres miraron hacia la pequeña estación de ferrocarril, el humilde apeadero que llamaban estación, que apenas sobresalía de la franja oscura de los rieles en la explanada pajiza y reverberante. Un poco más allá, se perfilaba la otra franja oscura de la carretera, que subía culebreando por las anchas cinturas de unos alcores pelados.

—No tardará ya mucho el correo — dijo Fernando.

—No — respondió Margarito.

—Bueno, ya nos avisarás, si viene.

Margarito asintió con un movimiento de cabeza y, luego, los cuatro hombres echaron a andar, campo a través, en dirección a la torre de la iglesia. Pronto cesó el rumor de las retamas y el crujido acompasado de los pantalones y Margarito desapareció en el interior de la paridera.

* * *

Los tres viejos, en mangas de camisa, pero con chaleco de pana, bebían, por turno, del mismo porrón. La sombra del portal era agradable y el vino, fresquísimo. Estaban sentados en esas sillas enanas que las mujeres emplean para coser al sol por las tardes. El porrón pasaba de mano en mano en una vuelta sin fin, descansando cada vez en la rodilla del correspondiente bebedor. Los tres viejos eran enjutos, arrugados, monótonos y lentos en el decir. Uno, algo jaro, con pecas en la cara, de mirada vivaz, y el más joven de los tres, decía:

—El Negro está muy teórico y práctico en rutinas. Yo le he tanteado muchas veces, pero siempre me ha dado la vuelta o se me ha ido por la vereda... — y bebió un trago. El chorro de vino parecía una irisada varilla de rubí.

—Según — dijo otro, alargando la mano para coger el porrón.

Se lo entregó el de los ojillos inquietos y él se lo apoyó en la rodilla mientras se limpiaba la boca con el dorso de la otra mano. Aquél continuó:

—Como el que no quiere la cosa, esta mañana me tropecé a posta con el cura y con el médico, que estaban, *cuchi, cuchi,* hablando de lo mismo. Y les pregunté su parecer, pero los dos se me escurrieron saliéndome por aquello de que no pueden opinar porque son forasteros...

—Los dos son amigos del Negro, Maximiano — dijo el tercero.

—¡No te giba! Si lo sé que son amigos del Negro, Cayetano. Por eso te digo que hay que andarse con tiento, con mucho tiento. El Negro tiene mucho poder y muchos cuartos. Ése va al gobernador y le habla como yo te estoy hablando a ti... Y como se va a quedar en el pueblo, a mí me parece que lo mejor es no darle mucho quehacer hoy. Luego ya le ordeñaremos todo lo que se pueda. Este es mi parecer.

Cayetano meneó la cabeza, que era grande y calva. Tenía los pómulos fuertes, fuerte la mandíbula, ardientes los ojos.

—Tú vas por tu vereda de alcalde — dijo — pero Pelocabra también está en razón. Como andemos así, cuando nos queramos dar cuenta los forasteros se han hecho los amos. Al tiempo.

—¡Mecá! — exclamó el segundo, que ya había bebido y vuelto a limpiarse con el dorso de la mano.

—Bueno, es que Pelocabra es muy sanguino — replicó Maximiano.

—Según — repitió el segundo.

—Bueno, di algo con fundamento, Juramentos — y Maximiano dio muestras de impaciencia —. No haces más que echar piedras al camino.

—¡Órdigas! — y Juramentos se quedó mirando al alcalde con la boca abierta. Tenía una cabeza muy pequeña, calva también. Los ojos, engurruñidos, y el cuello rebosando bocio.

—Vamos por partes — intervino Cayetano con aire de suficiencia.

Los ojillos del alcalde chispearon.

—Si es que éste nos deja — murmuró.

Juramentos explotó:

—¡Que hay que darle la cencerrada y nada más! ¡Gibar, más grande que la que me dieron a mí!

—Conforme, pero sin pasarse de la raya. El borrico en la linde y todos platicando — y Maximiano miró alternativamente a sus dos interlocutores. Le tocaba el turno y cogió el porrón, pero no lo puso en alto hasta oír la respuesta. Cayetano y Juramentos se quedaron pensativos. Luego, aquél, moviendo la gran cabeza, dijo:

—Eso es mucha teórica, Maximiano, me parece a mí. Lo cierto es que el Negro se va a llevar parte del común por su mujer y aquí nunca se ha visto que un forastero se lleve nada del común, qué órdigas. En cuanto cunda esa teórica, las rentas del pueblo van a ser para los cuatro indinos que se dejen caer por aquí. Para eso, más vale que caiga un rayo en los pinares y los haga carbón de un golpe.

—¡Quiá, hombre! A mí me tiene dicho el Negro que no cogerá un cuarto de la renta de los pinos. Lo piensa dar para la escuela.

—¡Gibar con la escuela! — gruñó Juramentos.

Pero Maximiano guiñó un ojo y dijo:

—Bueno, luego será para lo que sea.

—¡A ver! — y Juramentos se sonrió, satisfecho. Luego, de pronto, mientras bebía Cayetano, se le nubló la frente y escupió un insulto:

—¡La zorra de la muchacha esa...!

Cayetano, relamiéndose aún el vino, le interrumpió:

—¡Quita! El indino es el Trucha. Él es el que lo ha apañado todo a su manera. A la chica, que ya se iba para vestir santos, se lo han puesto todo de golpe en las manos. ¿Qué queréis que hiciera ella, eh?

—Pues lo que ha hecho, ño. La verdad no tiene más que un camino, qué gibar — dijo el alcalde, clavando sus ojillos en los pasmados de Juramentos.

El viejo del bocio no supo qué contestar y echó mano al porrón. Siguió un silencio en que sólo se oía el gorgoteo del vino en la garganta del hombre. Pero, de repente, sonó lejos el triple pitido de un tren. Juramentos cortó el chorro del vino, y los tres hombres se miraron interrogándose mutuamente con los ojos. Los de Maximiano, de tan afiladamente como miraban, casi se cerraron.

—¡Órdigas! — exclamó Juramentos —. Me apostaría algo a que ahí viene el Isabelo.

—A lo mejor — dijo Cayetano, pensativo.

Maximiano se removió nerviosamente en la silla y dijo:

—Pues hay que estar al tanto de todo para que el borrico no pase la linde.

Y Juramentos remachó:

—Según y conforme.

* * *

Iluminada daba vueltas al guiso sin decidirse a comerlo.

—Chica, ¿quieres comer? — le preguntó su madre, de mal humor.

—Anda, come y déjate de cavilaciones. Casarse es lo primero para toda mujer. Y tú te casas como pocas — le dijo su tía.

Mientras, las dos primas reían con los ojos mirando a la novia. Tampoco comían ellas mucho, pero estaban alegres.

—Otra en tu lugar estaría reventando de satisfacción, pero tú... ¡Esta chica mía es tonta! — exclamó la Trucha removiéndose en la silla.

—Déjeme, madre, que yo no tengo la culpa de que no me apetezca nada.

Una de las primas preguntó entonces a Venancia:

—¿Es que usted comió mucho el día de su boda, tía?

La vieja miró de reojo a la impertinente y contestó con acritud:

—¿Quién se acuerda ahora de lo de hace cien años?

—¡Por Dios, tía! — y la muchacha cesó de reír —. No se enfade usted por tan poca cosa.

Venancia no replicó y entonces, el señor Tomás, que comía parsimoniosamente en silencio, miró a las mujeres con severidad.

—¿Queréis callaros ya? Lleváis toda la mañana dale que dale y no decís más que tontunas.

Las primas de Ilu bajaron los ojos, un tanto amedrentadas, mientras su madre asentía a las palabras del señor Tomás con afectados movimientos de cabeza. La novia se llevó la cuchara a la boca sin poder reprimir un gesto de desgana. Venancia arrugó los labios.

El señor Tomás aprovechó el silencio para dirigirse a su hermana:

—Ya le he hablado a tu Paco del cacho de la barrancada. Lo quiere comprar mi yerno. Falta que tú le animes.

La mujer dejó de mordisquear el pan como un pájaro para decir:

—Mira, Tomás: esas son cosas de hombres...

Iba a replicar el tío Trucha cuando llegó hasta ellos el grito estridente del tren en los campos cercanos. El hombre se quedó suspenso y las mujeres palidecieron. Fue entonces cuando crujió la silla de Ilu y se oyó a una de sus primas decirle:

—Quieta, yo iré a ver...

Y abandonó la mesa en medio del silencio y de la estólica perplejidad de todos. Y pareció luego que había pasado un siglo al oír otra vez la voz del señor Tomás:

—Pero es que ese terreno es de tu hijuela...

* * *

Estaban todos sentados a la mesa y Mariana esperaba de pie a que Rosa concluyera de repartir la sopa. Luciano, con la voz un poco velada por una íntima emoción, comenzó a decir:

—Vaya, esta es mi última comida de soltero... como quien dice.

Rosa ni siquiera levantó la vista del cazo con que servía la sopa. José sonrió a su hermano y los chiquillos quedaron prendidos de sus palabras como otras veces, cuando le oían contar sus aventuras, ciertas o imaginarias, allá en tierra de moros. Los ojos de Mariana se agrandaron, más tristes que nunca, sobre la palidez mate de su rostro.

Luciano prosiguió:

—Hoy es, sin duda, el día más grande de mi vida. Voy a tener lo que siempre ambicioné. Un poco tarde es, pero todavía me queda tiempo para saborearlo. Creo que ahora es cuando voy a empezar a vivir de veras...

Había cogido una miga de pan y la redondeaba, formando una bolita, entre el índice y el pulgar de la mano derecha. Miró la bolita en silencio y, tras aplastarla contra el mantel, prosiguió:

—Pero nunca olvidaré que ésta ha sido mi casa también ni que vosotros sois mi única familia...

Al iniciar la pausa, cruzó el aire, como una flecha, el silbido de la locomotora. Luciano levantó la vista de la mesa y sus ojos se encontraron con los de José y Rosa.

—Es el correo — dijo José quedamente.

—Ya.

Los niños sorprendieron el cambio de expresión de los mayores, y uno de ellos preguntó:

—¿Qué pasa, tío?

—¡Niño! — le reprendió Rosa.

Pero Luciano sonrió, complaciente.

—Nada — contestó al niño —. ¿No habéis oído el tren? Pues puede que cualquier día os traiga una bicicleta a cada uno...

Y, sonriente aún, se dio cuenta Luciano de que Mariana había desaparecido silenciosamente...

* * *

Margarito se asomó a la puerta de la paridera. El tren llegaba soplando humo por los costados, lentamente. Se detuvo al fin y entonces el humo comenzó a salir por la chimenea de la locomotora en bocanadas jadeantes. Era largo el tren y relucían al sol sus articulaciones metálicas, estremecidas y temblorosas todavía.

Margarito dio unos pasos fuera y se detuvo después, sin quitar la vista del convoy, defendiéndose los ojos del sol con la mano. Al poco rato, sonó la campanilla y se aceleró la respiración de la máquina. Otro pitido, corto y vibrante, y el largo cuerpo de chapas y hierros tembló. Y, después de una brusca sacudida, se puso de nuevo en marcha, lentamente, fatigosamente.

Pasó todo el tren por delante de la pequeña estación, donde volvieron a cerrarse los labios de la quietud y de la modorra, desgarrados con tanta brusquedad. Pero aún aguardó Pelocabra unos largos minutos, hasta que vio salir del apeadero, y tomar la estrecha carreterilla que lo unía con la aldea, la figura corcovada del cartero del lugar. Entonces se volvió a la paridera. Allí cogió el hacha, se la echó al hombro y salió otra vez al campo. Y todavía volvió a mirar al apeadero y al corcovado, que avanzaba por la carreterilla a pasos desiguales y lentos, antes de lanzarse, a saltos bruscos y ágiles, monte abajo, como una sombra roquera.

* * *

En la plaza no quedaba más persona que Felipón, de centinela junto a los postes y a la cuba de vino. El agua caía con monótono son en la fuente, y un perro pasaba la larga lengua por el muro rezumante. Remolinos de polvo jugaban a las cuatro esquinas. Algunos se fijaban en el centro de la plaza y se estiraban hasta desaparecer en espirales vertiginosos. Las gallinas, la vieja y el gato habían huido hacia las frescuras del interior de la casa, y los gorriones pasaban la soñarrera del mediodía arrebujados en la sombra fresca del nogal.

El perro dejó de lamer el muro de la fuente y echó a trotar por el centro de la plaza. Le colgaban las orejas, la lengua y el rabo. Como la sombra se le iba, alternativamente, a un lado y a otro del cuerpo, parecía que bailase una extraña danza onírica. Pero al llegar junto a los postes, se detuvo, despertado quizá por un instinto fisiológico. Guardaba la lengua para olfatear y después la soltaba más crecida. De pronto, pareció tranquilizarse, pero cuando ya alzaba la pata trasera, hubo de desistir y coger de nuevo su trote cansino y bamboleante, con el rabo a rastras.

—¡Chucho!

Después, Felipón vio venir a Margarito y se enderezó un poco, pero como Pelocabra, arrebujado en su propia sombra, pasara sin advertirle, le gritó:

—¡Eh!

Entonces Margarito volvió la cabeza y, al reconocer a Felipón, le hizo una señal negativa con una mano, sin detenerse, y Felipón se recostó otra vez contra el tronco del nogal y se bajó la gorra sobre los ojos.

El sol, algo velado por jirones de nubes desvanecidas, brillaba, no obstante, en el hacha de Margarito y parecía que relamiese su agudo corte. El mozo, que había tirado por medio de la calle, miraba de reojo ambas filas de puertas y ventanas, a pesar de la maciza y concentrada hosquedad con que se recubría. Vio, sin duda, algunos ojos curiosos clavados en él porque repitió la seña negativa, ahora con la cabeza, y un aire extraño debió henchirle el pecho de orgullo porque se irguió y comenzó a mover con marcialidad el brazo que llevaba caído... Así entró hasta la cocina de su casa, donde le esperaban sus padres para empezar a comer. La madre se levantó al verle, abiertos de par en par los ojos, y el viejo Pelocabra movió los labios, pero no pronunció una sola sílaba, y sus ojos sanguinolentos parpadearon.

—Vendrá en el mixto de las ocho, sin falta — dijo Margarito secamente.

La madre movió la cabeza, asintiendo, y el padre tragó saliva. El mozo salió al corral a dejar el hacha.

LA TARDE

I

La novia concluía de bañarse en el gran lebrillo de las matanzas y se puso en pie. Mientras aguardaba en esa postura a que le escurriese el agua, oía el rumor de los hombres que hablaban en el portal, bajo el débil entarimado de la alcoba, y la algarabía de la charla de las mozas en la habitación de al lado. La estancia estaba llena de esa luz de las primeras horas de la tarde, tan suave y tan clara.

Algunas gotas corrían veloces por el declive escurridizo de la piel, pero otras discurrían morosamente, adhiriéndose a cualquier nimio obstáculo, y la muchacha hubo de pasarse las manos, hasta donde alcanzaban, para irse desprendiendo de estas últimas. Luego, y tras sacudirlos previamente en el borde del lebrillo, puso los pies en la esterilla. En aquel momento sonó abajo una voz de hombre, sobresaliendo entre todas las demás, y la muchacha se estremeció como si la hubieran visto.

Desnuda parecía más joven y venusina. Torneado en discretos relieves, su cuerpo era un crujido frutal de lozanía. No tenía carne de más ni de menos y vibraba de dureza. Su color, dorado con una impalpable sombra de morenez, como la del trigo agosteño. Las largas piernas, los senos vivos y la ligera curva del torso, les prestaban esbeltez sin mermarle ningún atributo femenino.

Se frotó ligeramente todo el cuerpo con una gran toalla felpuda y después se sentó en la silleta para enjugarse los pies que, una vez secos, calzó en sedosas babuchas. En pie otra vez, se dirigió hacia el cofre herrado y cogió uno de los frascos de perfume. Lo abrió y fue vertiendo el precioso líquido en las palmas de las manos y aplicándoselo sobre el exultante cuerpo desnudo. El aire se impregnó entonces de un indefinible aroma nocturno. Y después de vestirse las indispensables prendas íntimas para poner a salvo su pudor de muchacha, fue a la puerta, descorrió el pestillo y gritó:

—Ya podéis pasar, chicas.

En seguida, la puerta fue abierta nerviosamente, entre voces y grititos de algazara, e irrumpió en la habitación un tropel de mozas, a la cabeza del cual figuraba Ricarda. La novia estaba de espaldas a la puerta, junto al lecho, pugnando por abrocharse atrás la más calificada prenda de mujer. Las mozas se quedaron al pronto suspensas, hasta que Ricarda exclamó:

—¡Virgen Santa, qué olor más rica!

—Esto es gloria — dijo otra.

—¿Es que te has bañado en colonia?

—¿En colonia, con lo que escuece? — repuso una de las primas de Ilu a la preguntona, y se echó a reír.

—¡Mira tú qué cosas tiene esta simple! — y Ricarda se daba golpes en los muslos, presa de una risa retozona.

—Pues no sé qué de particular tendría... — replicó la pazguata.

—Pero, chica, ¿te darías tú colonia en los ojos?

—No.

—Entonces...

—¡Ay! — exclamó la pazguata —. Siempre vais por lo malo.

Ilu se volvió entonces a su amiga Ricarda para decirle:

—¿Quieres abrocharme esto?

Ricarda acudió solícita, pero la novia tuvo tiempo y pretexto para agacharse y dejar a la vista de todas ellas, que se habían agrupado en su torno, gran parte de sus senos. Las mozas, un poco avergonzadas, no pudieron, sin embargo, resistir la tentación y todos los ojos registraron minuciosamente aquella carne en busca de algo que estaba en la imaginación de cada una. Ilu esperó a que aquellos ojos fiscalizadores se mirasen entre sí, desconcertados, para decir:

—Pues sí he echado un perfume especial en el agua y, después de secarme, me he frotado con otro. Son perfumes de París de la Francia que me ha traído Luciano. Me ha traído también todos estos — y señaló los diversos tarros de encima del cofre.

Las mozas, admiradas, se acercaron al cofre en tanto que Ricarda, que ya había logrado abrocharle la prenda a la novia, decía a ésta:

—Chica, ese hombre se va a marear esta noche en cuanto apague la luz.

—Mujer — protestó débilmente Iluminada.

La pazguata se atrevió a decir:

—Casarse... ¡Qué gusto!

—Pero, chica...

—¡Ay, es verdad! Y dale.

Dos aprovecharon el jolgorio para cuchichear en un rincón adonde se habían dirigido con la inocente apariencia de curiosear.

—¿Has visto?

—Calla, chica. La tía Trucha ha sido capaz de rebanárselos como los ojos de una patata.

—Claro. Por eso ella ha querido darnos en la cara.

Ricarda decía a las demás:

—¡Fijaros, chicas, qué alhajas y qué vestido de novia!

Las murmuradoras se unieron al grupo. Los ojos de las muchachas acariciaban la pedrería y el oro, pero sin sórdida codicia, más bien con una tristeza nostálgica. Reían, nerviosas, pero el pregón de toda aquella riqueza hablaba a cada una de su fracaso, de su anhelo imposible, de una vida como una larga noche sin sueños.

—Si todas pudiéramos casarnos así... — dijo una suspirando.

—Ya, ya.

—¡Qué más da! ¿No es lo principal casarse? — les dijo Ilu como disculpándose.

—¡Ay, sí! Pero, hija, no es igual.

Ilu preguntó entonces a aquella muchacha:

—¿Tú no quieres mucho a Goyo?

—Mujer... — y la interpelada se ruborizó.

—Pues, ¿qué te importa lo demás?

Se habían apagado las risas y la novia dejó asomar a sus ojos una súbita tristeza.

—Muy a gusto daría yo todo esto por... — bajó la cabeza y se volvió hacia Ricarda —. Dame tu liga la primera, anda.

Ricarda llevaba prevenida su liga de color rosa y se la dio. Iluminada se agachó para pasársela por el pie y colocársela al lado de la suya.

—Y todas las que queráis, venga — dijo después a las demás.

Le fueron dando una liga cada una. Mientras Ilu se las ponía, dijo Ricarda:

—A ver cuál es la primera de nosotras que se casa...

—Todas os casaréis más pronto o más tarde — repuso Iluminada.

—¡Vaya, pero es que a mí me corre prisa!

—Toma, y a mí.

—Y a mí.

La pazguata expuso también su opinión:

—Pues a mí me da algo de miedo, la verdad.

—¿Por qué? — le preguntaron.

—Es que le he oído a mi madre cada cosa... Además, es que lo veo. En cuanto se casa una, se acabó la alegría. Ahora, por lo menos te ríes, pero después... Que si el marido, que si los hijos... ¡Anda, que no debe doler eso de echar un hijo al mundo!

Las mozas asentían con movimientos de cabeza.

—También quedarse a solas con un hombre para que haga contigo lo que quiera... — dijo una.

—Pero así, ¿qué? — replicó Ricarda —. Tienes que luchar con el novio, y con los padres, y contigo misma.

—Eso también es verdad.

—Pues claro — prosiguió Ricarda —. Por eso yo creo que lo mejor es casarse cuanto antes. Por lo menos se queda una tranquila. ¿A que todas lo estamos deseando?

Hubo una pausa embarazosa. Ilu había comenzado a vestirse. En el silencio se oían las gruesas voces de los hombres bajo la ventana. Este rumor y la proximidad masculina provocaron en las mujeres una irresistible curiosidad. Algunas se acercaron a la ventana.

—Suéltame esos corchetes, Ricarda — se oyó decir a Ilu, a quien únicamente esa amiga ayudaba a vestir.

—¡Callaros! — les conminaron las que escuchaban junto a la ventana.

Siguió un silencio en que no se producía más ruido en la estancia que el del roce del vestido de la novia.

—¿Qué dicen, chicas? — preguntó Ricarda al cabo de un rato, sin poderse contener más.

—¡Chist!

Luego, una dijo:

—Está también el tuyo, Ricarda.

—Estarán todos los nuestros también...

Entonces preguntó Ilu:

—¿Y qué es lo que hablan?

—Nada, si casi no se entiende... — le respondieron, pero se notaba una cierta vacilación en el tono.

—Hablan de mí. ¡A que sí!

—¿De quién van a hablar hoy si no? Todo el mundo tiene que hablar de ti en este día y más los hombres... Ya sabes cómo son de atrevidos... — díjole una de sus primas.

—Mujer, hablan de ti, del Negro y del Isabelo... ¡A ver! — agregó una imprudente.

El rostro de Iluminada se ensombreció visiblemente y las mujeres callaron. Ricarda murmuró de mal talante:

—Si no fueran algunas tan charlatanas...

—Hija, ella misma lo ha preguntado — repuso la imprudente.

—Anda, cállate ya.

Después de otro largo silencio en que solamente hablaban los ojos, Ilu dijo a su prima:

—Mi madre estará ya negra, de seguro. Más vale que vayas a decirle que en un cuarto de hora estoy lista.

La aludida asintió con la cabeza y salió de la alcoba. Al pisar el pasillo percibió más claramente el bronco rumor de las conversaciones de los hombres, que llenaban la sala y el portal. La muchacha pasó rápidamente entre ellos, sin mirar a ninguno, pero envuelta en un torbellino de acechos y de efluvios de tabaco y cuero, y entró en la cocina.

Allí esperaban las mujeres sentadas en corro. Las más eran viejas enlutadas. Una, joven aún y robusta, amamantaba a un pequeñuelo.

—Tía Venancia — dijo la mensajera — que la Ilu no tarda ya nada...

La Trucha, que presidía la reunión, meneó la cabeza.

—¡Hum! Esta hija mía es capaz de llegar tarde.

La muchacha desapareció y una de las viejas dijo:

—Ya tendrá tiempo para todo, mujer, y le sobrará. Yo también llegué tarde y ya ves si me ha cundido...

—¿Cuántos hijos tuviste al remate, Ramona?

Hacía allí un calor denso y pegajoso. Aunque estaban abiertas las puertas del corral y del zaguán, no corría el aire. En el lar ardía la lumbre lenta de los troncos de encina para mantener a punto las viandas preparadas para el banquete nupcial. Y aumentaba el sofoco aún más el ambiente empapado de olores grasientos, de transpiraciones recónditas y de una sorda pestilencia animal. Todas aquellas mujeres se cubrían con telas de abrigo porque ellas se hacían sus vestidos para siempre.

Ramona se escurrió las gotitas que perlaban los vellos de su labio superior para contestar:

—Catorce preñeces y ocho entierros.

—¿Tantos, Dios?

—Sí, hija: pariendo y enterrando toda la vida. ¿Y tú, Rafaela?

—Yo, algo menos: de nueve me viven cinco — contestó.

—Así, aunque llegue tarde tu hija, Venancia... Para lo que le espera... Aunque tú no estás en la ignorancia de esto.

Venancia asintió moviendo la cabeza, y dijo tristemente:

—Sí, los cuatro mayores se los llevó Dios. No me queda más que la pareja de los más pequeños. Si me hubieran vivido todos...

La Perromuerto, de vientre muy abultado, dijo entonces:

—No sé por qué nacen si se han de morir tan temprano... Será por hacernos sufrir a las mujeres. Dios lo sabrá, pero yo creo que es por eso solamente.

—Y los hombres, que no reparan — se lamentó Ramona.

—Como saben que es raro que se salve toda la simiente... En esto pasa como en el campo — y la Perromuerto se acarició el abombado vientre.

—Sí, somos como la tierra. Si ya dicen que el Señor nos hizo de barro. De tierrra y agua, mira tú — arguyó sentenciosamente Rafaela.

Las demás asintieron gravemente. Ninguna ponía atención en el mosconeo creciente de la charla de los hombres, entreverada de interjecciones, porque se las sabían de memoria.

La Perromuerto insistió:

—En cuanto nos casamos empiezan las muertes: que si los abuelos, que si los padres, que si los tíos, que si los hijos... Así nunca nos podemos quitar el luto de encima. Yo ya me casé de luto, por mi madre, y hasta hoy.

—Y llorar, maja. Nosotros tenemos que llorar por todos y por todo. Así llegamos a viejas con los ojos quemados. ¡Ay, aquellos ojos negros de cuando yo tenía veinte años!

Rafaela suspiró después y se pasó un duro pañuelo blanco por los ojos.

—Tampoco hay que decir que todo son penas. También hay alegrías — dijo, tartamudeando, la joven opulenta que amamantaba a su hijo.

La Perromuerto la miró con lástima.

—¡Pobre! — exclamó —. También te hará llorar, también — y señalaba al niño.

La joven madre dio un respingo y estrechó fuertemente al niño contra su pecho. El pequeñuelo soltó la teta, asustado, encogió los ojillos y empezó a llorar.

—¡Hijo, hijo! — y la joven madre lo mecía sobre su vientre —. Se ha asustado mi pobrecito. ¡Ea, ea, chiquitín, chiquitín!

Las viejas miraban sonrientes a la madre y al hijo. Era, en todas aquellas bocas arrugadas y exhaustas, el rosicler tardío de una ternura instintiva e inagotable.

La joven madre tapó la boca al niño con el grande y áspero pezón.

—Se te cría bien hermoso — le dijo Venancia.

La joven sonrió orgullosamente. Tenía la cara redonda y, los ojos, redondos también. Y daba la sensación de poseer unos veneros riquísimos. Como el chiquitín soltara el pezón para poder respirar, le dijeron:

—Que le ahoga el caño, tú.

—Debes tener leche para criar dos por lo menos.

La joven madre, entonces, oprimióse el pezón con los dos dedos con que lo sostenía y soltó un chorro blanco que llegó hasta las haldas de las viejas más próximas.

—¡Jesús, qué lechera! — exclamó la más cercana, corriendo la silleta hacia atrás y sacudiéndose las blancas gotitas.

—Todas hemos sido muy lecheras en la familia — comentó la madre de la joven con profunda satisfacción.

—¡Qué hermosura! Si mi Iluminada pudiera criar así... Pero me barrunto que no.

—¿Y por qué no, mujer? Ella es de buena pasta también.

—¡Qué sé yo!

—¿Él no tuvo hijos con la otra, verdad? — preguntó la Perromuerto.

—No — contestó secamente Venancia.

—Pueda que ahora prenda, mujer.

—¡Dios lo quiera!

Y alguien suspiró diciendo:

—¡Ay, qué pena de vida!

Y se quedaron calladas. Sólo se oía el rechupeteo del chiquitín. Pero otra vez tuvo que soltar la mama para poder respirar, y otra vez le miró su madre con una acuosa ternura mezclada de orgullo.

—¡Mi sol!

Después de un rato, dijo Ramona:

—Pues de dineros sí va a estar bien, la Ilu.

—Y de hombre — se apresuró a decir Venancia.

—Mujer, nadie ha preguntado eso — se excusó Ramona — aunque siempre parece que gustan los maridos más jóvenes.

—Eso, no. Luciano le lleva a mi hija más años de lo regular, pero tiene más bríos que muchos mozos.

—Bien plantado sí que es — afirmó la Perromuerto.

La corearon:

—Y tieso, como un varal.

—Y tiene un aquel de señor...

La Perromuerto volvió a decir:

—Un marido de su tiempo puede que sea más remirado.

—Y tanto — aseguró Venancia —. Aquella prima mía

se murió de tantos gustos como le daba él, que le brincaba la edad en más de treinta años.

—Di que sí, Venancia, di que sí — y Rafaela paseó su maliciosa mirada por el corro.

—Sin retintín, ¿eh, Rafaela?

—Qué retintín ni qué ocho cuartos, Venancia. Todas lo hubiéramos querido para nuestras hijas...

Nadie replicó y, tras un hondo suspiro, exclamó Ramona:

—Hay quien nace con suerte. Hasta cuando le llegue la hora a tu hija, te tendrá a ti para ayudarla, que nadie hay mejor para eso que tú, que estás tan práctica y que nos has ayudado a muchas...

—En eso sí que no hay quien te gane — intervino Rafaela —. ¡Ay, cuando me acuerdo de mi primero! — hizo una pausa para mirar a todas y continuó —: Ya llevaba tres días con dolores y aquello no salía ni por todos los santos. Yo ya me creí que no lo iba a contar. Y mi suegra, que en paz descanse, diciéndome: "¡Que lo vas a ahogar, puñetera!". Y mi Pedro: "Eres más floja que la avena"... ¡Ca, yo me moría! Hasta que mi Pedro me cogió a cuestas y empezó a corretear por el cuarto. Había echado antes un colchón en el suelo y, cuando yo menos me lo podía pensar, me soltó las manos y caí como un saco sobre el colchón.

Las viejas, instintivamente, se empinaron sobre sus asientos. La madre joven exclamó, horrorizada:

—¡Jesús bendito!

—Pues si no hubiera sido por aquella borricada, me creo que no hubiera parido todavía. Las otras veces ya no hubo que hacer eso.

La Perromuerto se echó a reír.

—¿Y yo que eché a mi Cecilia en el corral? Fui a coger unos huevos y, de repente... Nada, que no me dio tiempo ni a llamar.

La madre joven dijo entonces:

—Ahora todo es diferente. Tenemos un médico muy entendido.

—¡Jesús, en seguida me pongo yo en manos de un médico para eso! — exclamó Ramona —. Será muy moderno, pero yo no paso por ponerme en esas trazas delante de un hombre por muy médico que sea. ¡Quita allá!

—Pues yo, sí — replicó la madre joven —. Y bien que me fue.

Su madre la apoyó:

—Todo marchó como la seda, y eso que venía mal el crío, atravesado.

—Y, si no, que se lo digan a la de Cuentatrenes. La tuvieron tres días sentada entre dos sillas, quemando romero en un braserillo que le pusieron debajo... Vamos, que se creían que el humo iba a hacer salir al chico como a los conejos de la madriguera... ¿Y qué pasó? Pues que al remate tuvieron que llamar al médico y que el médico tuvo que cortar por lo sano.

—¡Bendito sea Dios! — exclamaron varias mujeres persignándose.

—Así pasó. La familia no quiso decir nada, pero de todo se entera una.

—Te lo diría el mismo médico — insinuó Rafaela.

—A mí no me lo dijo nadie, pero me enteré — y la joven madre, excitada, se revolvía en la silla como buscando mejor acomodo a sus gorduras.

—Pues a mi hija, si Dios quiere, la apañaré yo — dijo solemnemente Venancia.

—Bueno, eso será si lo dice el Negro — le replicó Rafaela.

Venancia miró a Rafaela con toda la inquina de su acerbo espíritu.

—Mi hija, cuando le llegue la hora, hará lo que le parezca — replicó con acritud —. Nada más le pinchen los primeros dolores, me llamará. ¡Vaya que sí! Y entonces, ni el marido ni nadie se pondrá por medio.

Al terminar, remangó los labios, pero Rafaela no se amedrentó:

—Pues, hija, hasta la presente es el Negro quien lo dispone todo por lo que se ve. Ninguno hace fuego hasta que él dice: ¡pum!

—Oye, Venancia —terció Ramona—: ¿No es cierto que él ha comprado los muebles, las ropas, el ajuar y lo demás, sin contar con nadie?

Venancia contestó afirmativamente con un garabato de los labios y la nariz, y la joven madre intervino:

—También dicen que lo ha colocado todo dentro de la casa él solito y a su gusto durante las noches.

—Sí —contestó Venancia, excitadísima—, pero tú sabes, cordera, que después de casados ya es otra cosa. Vamos, que nadie tiene que enseñarte a ti que, sabiéndole coger las vueltas al marido, una casada joven tiene facilidad para salirse con la suya, ¡con consentimiento y todo!

—Usted es que es muy ladina, señora Venancia —se defendió la otra en retirada.

Venancia hizo otro garabato con nariz y labios para remachar bien la espina clavada en su interlocutora. Y, en seguida, se hincharon las velas de su despecho y de su orgullo.

—Ni ladina ni nada: vieja. Ahora hemos tenido que pasar por muchas rarezas de ese hombre aunque hayan dolido. Pero no va a ser siempre así. Una se ha callado porque no digan que como una, al fin y a la postre, es la suegra... Y como las suegras tenemos fama de metomentodo —y miraba a los ojos de las viejas buscando un asentimiento que, sin embargo, no se mostraba explícito en ninguno de aquellos ojos gastados y maliciosos. Después, continuó—: Pues por eso no os he podido enseñar nada. ¡Ni yo misma lo he visto, ni siquiera la Ilu! —se inclinó hacia adelante y, bajando un poco la voz, concluyó—: Pero mañana, nada más salgan de viaje, os venís conmigo y os lo enseño. ¿Estamos?

Las viejas asintieron entonces con movimientos lentos de cabeza.

—Chica: yo tengo una curiosidad — dijo Perromuerto —. Como nunca se ha hecho una cosa así...

—A lo mejor es lo nunca visto — terció Rafaela.

—O, a lo mejor, resulta que no es para tanto... — agregó la Loba, que hasta ese momento no había intervenido en las discusiones y que se había limitado a asentir y disentir con simples gestos.

Como la Trucha no replicara, el hilo de la conversación quedó roto. El tiempo, amasado con calor, con efluvios de guisotes y de humanidades rancias, gravitaba materialmente sobre las comadres. La luz del corral tenía ya un tinte de aburrimiento también. La Perromuerto abrió la boca y otras bocas la acompañaron en el bostezo contagioso. Entonces se dieron cuenta del cansancio.

—Sí que tarda la novia — dijo la Loba.

Empezaron a removerse en las silletas y a sacudirse de las haldas hipotéticas motas de polvo. Entonces, Venancia, haciendo crujir la silla y crujiendo toda ella como si se desconyuntase, se puso en pie.

—Voy a meter prisa porque, si no...

Las comadres le abrieron camino y Venancia traspuso la puerta de la cocina.

En el zaguán, atestado de hombres endomingados, se veían bastantes cabezas peladas en forma de brocha, conforme al modelo del Escaso. Venancia cruzó rápidamente por entre los grupos y se asomó a la puerta de la sala. Allí estaba el señor Tomás, el Trucha, rodeado de viejos amigos, cazurros como él. La mujer tuvo que esperar a que terminase de hablar su marido, que decía:

—Y si la remolacha se da bien, que a mí me parece que se dará bien... ¿Por qué no se ha de dar tan bien aquí como en Romanzuelo, digo yo? Pues si se da bien, mi yerno es capaz de plantar aquí una fábrica de azúcar y entonces el pueblo... Los de Romanzuelo se iban a quedar sin habla para muchos años.

—Tomás, que la chica ha avisado hace rato, pero no acaba de bajar, y yo creo que ya va a ser la hora...

El Trucha volvió lentamente los ojos hacia su mujer, la miró luego sin parpadear y no contestó sino que echó mano con orgullo a su gran reloj de bolsillo, y consultó la hora cerrando mucho los ojos.

—Sí, me parece que está al caer — dijo, dirigiéndose a sus amigos, y prosiguió —: En unos cuantos años que pinte bien, nos desquitamos de tanta brega como nos ha venido dando el trigo para nada. Lo que es yo, este año sembraré remolacha en el cacho de regadío que tengo — y remachó sus palabras con un enérgico movimiento de cabeza.

Después, el señor Tomás se levantó y se dirigió hacia la puerta con paso tardo. Allí le estaba esperando todavía su mujer, pero el Trucha pasó junto a ella como si no la hubiera visto. Y Venancia siguió a su marido silenciosamente.

—Yo no me echo para adelante con tanta facilidad. Esto de la remolacha hay que experimentarlo bien antes — dijo uno de los amigos del Trucha tan pronto como éste desapareció.

—Son teóricas del Negro y nada más — dijo otro.

—¿Pues no veis que quiere ponernos siempre a su yerno por delante...? Y el Negro es forastero y a mí me importa una órdiga lo que pueda pensar de la labranza.

—Ya se verá lo que conviene, ya se verá...

En los hombres del portal se hacían palpables también la impaciencia y la excitación. Estaban, sin duda, cansados de esperar, y, por sus conversaciones, cortas e incoherentes, se adivinaba el deseo imperioso de que "aquello" comenzase.

—Tú vas a ver luego — decía uno de los jóvenes invitados, de cabeza pelada en forma de brocha, a un grupo de amigos de las mismas trazas —. Yo creo que no se habrá visto nada parejo desde los bárbaros para acá.

—¡Sandiez, qué chispa esta noche!

—Para el Negro sí que va a ser la borrachera, chacho.

—¡Huy!

En otro grupo decían:

—En cuanto llegue el Isabelo, la formamos.

—Pero, ¿cuándo va a llegar, ño?

—En el mixto será porque el exprés no para.

Y en otro:

—Me están entrando ganas de casarme a mí también, zagal.

—Y a mí, ño.

—¡La suerte que tiene el Negro!

—Se va a quedar ciego con los lunares...

—Yo sí que me pondría ciego, mira tú.

—Y cualquiera...

Y en cuanto al señor Tomás y su mujer desaparecieron escalera arriba, las conversaciones se diluyeron en un rumor general apagado, inarticulado. Luego fue como un jadeo contenido. Los cigarros cayeron al suelo, apagados; se pasaron las manos por las cabelleras; se estiraron los pantalones hacia arriba...

Finalmente, se oyeron atropellados taconeos de mujer, como en manada, por la escalera, y sus voces:

—¡La novia! ¡La novia!

Sólo los viejos de la sala permanecieron sentados sin inmutarse. Por el contrario, los jóvenes del portal se agruparon compactamente junto al arranque de la escalera. Las muchachas se dejaron ver en grupo, chillonas, inquietas, excitadísimas:

—¡La novia! ¡La novia!

Tras las muchachas, apareció Iluminada, sola, con la escolta muda de sus padres. La novia, coronada de aljófares, descendía pálida, recogida la vista, como inconsciente. De ella se desprendían fulgores y olas de perfumes. Tan solemne y tan tímida, tan enjoyada e inánime, su realidad carnal quedaba casi totalmente desvanecida.

—Chacho, si no parece la Ilu...

—Ya, ya... Anda, que cuando yo le vi las pantorras al subirse al borrico...

—Tú qué vas a ver.

Iluminada no era la muchacha que todos ellos habían visto en la fuente y en la era, en misa y en el baile. No era tampoco la hija del Trucha, la que fue novia del Isabelo, la que aquella noche se acostaría con Luciano el Negro. Iluminada era el mito. El mito que andaba y se movía como una sombra irreal. Por eso, cuando el mozo carraspeó con la boca caliente, el otro se le adelantó para advertirle:

—¡Que es la novia, ño!

Y en silencio, como una aparición, pasó la novia a la cocina donde, al verla, las comadres se echaron para atrás, sobre los respaldos de las sillas. Después de un momento de estupor general, la Perromuerto exclamó:

—¡Jesús!

Iluminada no sabía dónde descansar la vista en medio de aquel estrecho círculo de ojos admirados y acuciantes.

—¡Si parece la Virgen!

Rafaela lo dijo sinceramente, arrebatada de entusiasmo ante tan increíble transfiguración.

Efectivamente, con aquellas tiesas ropas bordadas —falda, corpiño y blusa— con la diadema, con la vista baja y las manos cruzadas sobre el vientre, tenía la novia un sorprendente parecido con las barrocas imágenes de la Madre de Jesús, veneradas por aquellos pueblos de meseta y monte.

El encanto lo rompió Venancia al decir:

—Y todas las alhajas que lleva son requetebuenas. Nada de fruslerías.

Entonces, alguien dijo:

—Chica, date una vuelta para que te veamos bien.

Iluminada obedeció, azorada y triste. Después, las manos de varias comadres, manos de uñas chatas y negruzcas, se le echaron encima para palparlo todo.

—¡Mira que lleva oro!

—¡Qué riqueza, Virgen Santa!

Iluminada contenía la respiración y se encogía dentro de la ropa como para sustraerse a aquel insistente y pegajoso manoseo. Cuando mayor e irresistible se tornaba la avidez de las comadres, un rumor del zaguán vino a poner un paréntesis. El rumor lo producía Mariana, que llegó presurosa, portando un largo estuche de cartón, atado con una bonita cinta de seda. Alargó el estuche y dijo:

—Esto, de parte del señor Luciano.

Venancia hubo de arrancar el paquete de entre las manos de todas, y lo abrió. El último regalo del Negro a su novia era un gran ramo de flores blancas, gardenias.

Otra vez las exclamaciones admirativas:

—¡Y son artificiales, chica!

—Si parecen de cera...

—No te amuela...

—Y huelen.

—Te digo que en estos tiempos hacen cada cosa...

Entonces Mariana advirtió:

—Que tiene que llevarlo la novia en la mano...

Venancia sacó de la caja el ramo de flores y se lo entregó a su hija. Ésta se lo puso sobre un brazo y las corolas se extendieron sobre su hombro, rozándole el cuello y la barbilla.

—¡Ahora sí que pareces talmente la Virgen! — exclamó la Loba.

Mariana, absorta en la contemplación de Ilu, dejó asomar a los labios una tímida y arcana sonrisa, como una última gota de ilusión. Pero la novia era empujada ya hacia afuera por su madre, y Mariana tuvo que cerrar los ojos. Las demás se fueron tras Iluminada, pero ella se quedó sola, olvidada, y se sentó para no caer desvanecida.

Por en medio de dos filas de hombres silenciosos, que

dilataban las narices a su paso para aspirar el ignoto perfume que despedía, la novia entró en la sala donde esperaban los viejos.

—¡La novia! — fue la escueta presentación del Trucha.

Los viejos la miraron forzando los ojillos. Por las bocas desdentadas y negras corrió una misma sonrisa maliciosa.

—¡Que dé la novia media vuelta! — pidió uno de ellos.

Iluminada la dio.

—¡Que dé la novia la vuelta entera! — exigió otra voz carrasposa.

El olor a tabaco y a cuero era allí más concentrado, más punzante, y el aire, más gordo y grasiento. Otra vez:

—¡Que dé la novia media vuelta!

—¡Que dé la novia la vuelta entera!

Iluminada se llevó las manos a los ojos y se tambaleó. Su padre la sostuvo fríamente por la espalda. Entonces, un viejo cuchicheó al oído de otro.

—¡Qué disparate! Los miles de duros que lleva en alhajas...

—Lo menos...

Y es que el mito vaporoso e intangible, al acusar la flaqueza de la carne, tornaba de nuevo a ser mujer. Por eso un mozo murmuró:

—Ya empieza... Pues no sabe lo que le espera esta noche con el Negro...

Y otro exclamó:

—¡Huy!

II

HACE *un calor tórrido. Sudan los hombres, las bestias y hasta los árboles. Un calor que enfebrece y eso que aún es media mañana.*

En la pequeña capilla misional acaba de decir la misa un sacerdote negro, ayudado por un acólico negro también. A ambos les brilla la cara, que parece más negra junto a las alburas almidonadas de las telas litúrgicas. El sacerdote, revestido con la capa pluvial, desciende un escalón y se detiene ante unos fieles arrodillados en el humilde presbiterio. Son éstos Luciano, Milagros, un portugués de gran bigote amarillo y su esposa, una mestiza con cabellos de fino alambre retorcido.

Está culminando la ceremonia y Luciano siente correr los chorros de sudor por el cuerpo. Mira a Milagros y la ve mustia, como un pámpano cocido por el calor de una siesta en Castilla.

—Luciano Fernández Castillo, ¿acepta por esposa legítima a Milagros Úbeda García? Diga: "Sí, la acepto".

—Sí, la acepto.

—Milagros Úbeda García, ¿acepta por esposo legítimo a Luciano Fernández Castillo? Diga...

—Sí, lo acepto por esposo legítimo.

Se miran. En los dos, la mirada es como una noche triste, pero de la que se desprenden ternuras desesperadas que se entrelazan y se funden en una sola. El rito es corto y termina antes que ellos dejen de mirarse.

En el carricoche y con los padrinos, van a casa del fo-

tógrafo. Este hombre también suda tras el tubo de tela en que termina su aparato. Les dice:

—Esperen — y dispara el objetivo contra el rostro de un negro que lleva chistera y viste una larga camisa blanca. Después, Luciano dice a Milagros:

—Tú, sola.

Ella ruega:

—No. Tú, conmigo. Los dos juntos.

—Bueno, pero, primero, una para ti sola.

Así se hace. ¡Qué calor, Dios! Y de nuevo en el carricoche bajo el sol cruel, sobre la ancha vía de barro crujiente. Negros por todos los sitios. Negros andrajosos y petulantes. Y algunos blancos. Blancos duros, peligrosos, granujientos, que señalan descaradamente a la novia. Milagros cierra los ojos y Luciano aguanta, sereno, aquellas flechas zumbonas. El caballo trota y levanta una polvareda amarilla en su torno. Un negrito, desnudo y sentado en el suelo, blanquea su piel con puñados de tierra amarilla.

Llegan al hotel, apenas una mísera posada, de aquel extraño poblado. Allí les están esperando los invitados: blancos negociantes, blancos dueños de plantaciones, blancos jugadores de ventaja, todos clientes del cafetín de Luciano, el español. La mayoría, portugueses, pero entre ellos los hay también italianos, holandeses y alemanes.

Embroman y tiran granos de arroz a los novios. Milagros sonríe con los ojos y con la boca. Luciano, sólo con la boca.

El aire es gelatinoso y huele a alcohol de alquimia, con mil olores picantes disueltos en él. En medio de la algarabía se han vuelto a mirar a los novios unos parroquianos ajenos a la fiesta, que bebían en el mostrador. Uno de ellos se abre camino hacia el novio, a codazos. Luciano lo ha visto venir y lo espera. El tipo aquel usa largos bigotes a lo káiser, lleva botas de montar y látigo pendiente de la muñeca.

—¿Usted es el novio? — pregunta a Luciano, adelan-

tando la cara y envolviéndole en su apestoso vaho de borracho.

—Sí. ¿Qué pasa? — dice Luciano con mal talante.

El tipo aquel se echa a reír enseñando la horrible dentadura de oro y caries. Milagros se agarra a Luciano y éste empieza a temblar de furia. Todos los demás esperan sin saber qué. Entonces, el compañero del tipo aquel grita desde el mostrador:

—¡Cornudo!

Milagros se cubre los ojos con las manos y el tipo aquel, sonriendo procazmente, roza con las puntas de sus dedos el pecho de Luciano y le dice:

—Yo la he comprado muchas noches por menos dinero que tú, español de mierda.

Luciano se lanza sobre el provocador y lo abofetea. Luciano no dice nada. Golpea solamente, a una velocidad de vértigo. El tipo aquel se dobla, incapaz de resistir tan espantosa violencia, y Luciano le arrebata el látigo y empieza a descargar trallazos en su cara, en sus brazos, en su espalda... Entonces, el compañero del tipo aquel se precipita a la pelea con un machete en la mano. Hay un instante de miedo y de indecisión entre los circunstantes, pero un corpulento alemán contiene al nuevo combatiente asestando la punta de su revólver al costado y diciéndole:

—¡Quieto! Un hombre vale lo mismo que otro hombre, ¿no le parece?

Y el amigo del tipo aquel se queda inmóvil al borde de la lucha que continúa hasta que Luciano tiene que suspenderla para respirar. A sus pies está su enemigo arrodillado, cubriéndose la cabeza con los brazos y gimiendo. Luciano respira hondo, pero busca con la mirada al otro enemigo. Mas éste se ha evaporado sin que nadie lo advirtiera. Entonces Luciano arroja el rebenque a la cabeza del vencido que le mira con el rostro ensangrentado.

Milagros se ha quedado fuera del corro y llora desconsoladamente apoyada en una de las columnas de madera.

Luciano, a quien los hombres abren paso respetuosamente en medio de un silencio impresionante, se dirige hacia la mujer. La coge por la cintura y la lleva consigo en dirección a la calle. Al llegar a la puerta, grita:

—¡Beban y emborráchense! ¡Yo pago!

Salen y otra vez al carricoche, pero ahora al galope frenético de caballo. Corren los negritos entre el polvo y Milagros salta sobre su asiento, despavorida. Luciano se mantiene en pie durante toda la carrera, fustigando sin tregua al animal con el cabo de las riendas. Una nube de polvo amarillo los envuelve.

Hasta que llegan a la empalizada que cerca el cafetín de Luciano. Allí se detienen en seco y el hombre salta del vehículo, ayudando después a bajar a la mujer. El caballo, a punto de reventar, aventa polvo con el resuello.

No hablan los recién casados. Luciano va abriendo puertas. Atraviesan el cafetín y llegan al tabuco que les sirve de dormitorio. A pesar de las buenas artes de Milagros, la habitación resulta mísera, sucia, inhóspita, y el calor cruje dentro como un barquillo de oblea.

Ha llegado el momento de mirarse a los ojos y ella se echa sobre el pecho del hombre, gimiendo:

—¡Qué mala suerte, Dios mío!

Él dice:

—Pero no llores. ¡No me llores más!

Pero el tono de su voz hace que ella levante la cabeza y le mire a los ojos y entonces suelta un grito de amor tremendo, desgarrador:

—¡Luciano! ¡No me llores tú, mi vida, mi sangre!

Luciano cierra los ojos y la aprieta contra su pecho desesperadamente. Y una lágrima, una sola lágrima, una sola lágrima de hombre, le cae por la mejilla y le abrasa como si fuera una gota de plomo derretido.

El Negro cerró al fin los ojos y sus dedos estrujaron la vieja cartulina en que una mujer joven sonreía tristemente. Al quebrarse el retrato, la imagen pareció abrir los ojos, asombrada, y sus labios perder la sonrisa y retorcerse con dolor. Y cuando Luciano abrió los ojos, ya la fotografía de Milagros era un rebujo de papel entre sus manos.

El Negro estuvo largo rato contemplándose las manos apretadas, tal vez sin verlas de verdad. Y así, poco a poco, fue recobrando su expresión acostumbrada. Luego, se puso en pie y crujieron los muelles oxidados de la cama. El hombre, haciendo caso omiso a los rumores del portal, procedió lentamente a prender fuego a la cartulina con el encendedor de plata que se extrajo del bolsillo del pantalón. El fuego prendió con facilidad, corriéndose la llama de abajo arriba. Se acercó al lavabo y se curvó sobre el cubo de las aguas sucias manteniendo la cartulina en las manos. Sus bordes se habían retorcido y las llamas llegaron a rozarle las puntas de los dedos.

—¡Luciano! — sonó fuera la voz de José, acompañada de unos golpecitos en la puerta.

Luciano hizo un gesto de contrariedad y de dolor.

—¡Espera! — contestó —. Es sólo un momento.

Aguantó, no obstante, hasta que la fotografía de Milagros quedó convertida en un insignificante residuo carbonizado. Dejó caer éste en el cubo y se sacudió los dedos chamuscados.

Se puso en pie de nuevo. Estaba ya vestido, a excepción de la chaqueta, todavía pendiente del respaldo de una silla. Y avanzó, con fuerte y pausado taconeo, hasta la puerta. Descorrió el pestillo y dijo, en voz alta y tranquila:

—Pasa, José.

Su hermano, vestido de gala con su traje negro bien planchado, pero algo exiguo, entró diciendo:

—Ya están todos. Y es casi la hora — y entonces reparó en el humo —. ¿Qué has estado haciendo?

Luciano le miró, sonriendo con tristeza.

—Nada.

—Pues parece que... — y José señaló con la mirada las

perezosas volutas que aún se desenroscaban en el aire—. ¿Has quemado papeles, no?

—Sí—y Luciano se volvió a coger la chaqueta. Con ella en el aire, añadió gravemente—: Sí, he quemado algo: recuerdos.

José hizo un gesto comprensivo entornando los ojos y moviendo la cabeza. Luciano acabó de vestirse. Pero todavía se miró al espejo para retocarse el nudo de la corbata y extendérsela bien sobre el pecho. Todas las prendas eran negras y de un corte impecable. Brillante la corbata de seda y brillantes los zapatos de charol. Entre tan unánime negrura, la camisa esplendía con insólita prestancia.

Luciano parecía aún más alto y más anguloso, y su gesto, habitualmente duro y seco, mucho más pronunciado.

—¿Vamos?—le preguntó a José.

—Vamos.

Se miraron profundamente los dos y José dijo:

—¡Quiera Dios que todo salga bien!

Luciano arrugó la frente y echó a andar, murmurando:

—Lo que yo no he llegado a comprender todavía es por qué se ha de vestir uno de negro para casarse—se había detenido junto a la puerta y, al tirar del pomo para abrirla, añadió—: La verdad, no lo entiendo.

José le siguió en silencio. Al pisar el portal y, tras recorrer con la mirada los rostros de todos los invitados, dijo el Negro:

—Perdonen si les he hecho esperar mucho.

—No tiene por qué excusarse en un día como hoy, hombre—le dijo el médico adelantándose—. Al novio se le debe perdonar casi tanto como a la novia.

—¡Bien dicho!—exclamó el pequeño alcalde de los ojos de ratón.

Los demás sonrieron únicamente. Todos iban vestidos de negro y Martín llevaba un haz de cohetes en la mano. En la última fila destacaban las cabezas bárbaras de Felipón y Lucio.

Luciano se volvió a José:

—¿Llevaron las flores a casa de Ilu?

José afirmó con la cabeza, añadiendo:

—Yo mismo se las entregué a Mariana para que las llevase.

—Falta la madrina — advirtió el médico.

—Es verdad — agregó el alcalde.

Y José se acercó a la escalera y llamó:

—¡Rosa, hija!

Pero aún no había terminado de pronunciar su nombre cuando ya Rosa apareció en lo alto e iniciaba el descenso de la escalera. Llevaba peineta alta y mantilla española, y su vestido era negro y brillante. Su aparición, un tanto solemne, produjo un embarazoso silencio entre los hombres, exceptuando el médico, que dijo en alta voz:

—Señores: ¡viva la madrina!

Le corearon comedidamente, a pesar de lo cual Rosa no pudo disimular del todo su turbación. José le cogió una mano y ella avanzó entre todos, diciendo tímidamente:

—¡Buenas tardes! ¡Buenas tardes!

Al paso, preguntó al médico:

—¿Y su señora, don Felipe?

—En la iglesia debe estar ya con los niños.

Entonces se miraron la madrina y el novio. Luciano aparecía tranquilo y dueño de sí. Ella tembló un poco al cogerse a su brazo. Él dijo, dirigiéndose a todos:

—Guapa madrina, ¿eh?

—¡Vaya que sí! — convino el alcalde, sonriendo a medias y brillándole los ojos de malicia.

—Hombre — dijo el médico — tenía que estar a la altura de la novia...

Rosa bajó la mirada y José se esponjó visiblemente. Y Martín preguntó a Luciano:

—¿Ya?

El novio contestó con un leve gesto y Martín salió a la calle e, inmediatamente, se oyó el bufido de la pólvora. Y al salir Luciano y Rosa a la cabeza de la comitiva, el cohete reventó, con triple estruendo, en la bóveda desnuda de la tarde. Y unos chiquillos, que habían seguido absortos su trayectoria, corrían hacia el punto donde probablemente iría a caer, gritando:

—¡A ver quién lo coge...!

Se inició la marcha a lo largo de la calle, hasta el cruce con la principal, por donde bajaron en dirección a la iglesia. La tarde se había quedado en trance de placidez. Pura seda era el aire quieto y tibio. Oro derretido era el sol cuya última caricia tornasolaba los tejados. El pinar, que trepaba hacia el norte, iba quedándose oscuro, pero en las calles la luz conservaba todavía un temblor opalescente.

Se veían chicos comiendo zoquetes de pan, pringados de aceite, y canes recelosos por las esquinas. Sólo algunos viejos, sentados en los poyetes o en silletas, contemplaban el paso del cortejo. Por el contrario, grupos de mujeres apresuradas corrían delante de él hacia la iglesia, cubriéndose aprisa con pañoletas y velos.

Luciano y Rosa, del brazo, marchaban en silencio. Ella continuaba con la vista baja, pero él, alta la cabeza, lo miraba todo escrutadoramente. Detrás, los acompañantes, envarados y solemnes, hablaban poco y en voz baja de asuntos ajenos a la boda.

Un grupo de mozalbetes mosconeaba alrededor de Martín, que iba a la altura del novio, aunque separado de él, como ayudante de campo.

—Tire otro, señor Martín, ande...

—Luego, luego... — les contestaba.

—No sea así, ande...

Martín trataba de ahuyentarlos por medio de gestos amenazadores, pero ellos insistían con mayor atrevimiento cada vez. Hasta que Luciano, al llegar a la plaza, dijo a Martín:

—Anda, dales gusto a los muchachos, hombre.

En la plaza, los hombres se habían agrupado bajo el

nogal. Las mujeres esperaban junto a la puerta del templo. Pero en el mismo instante todos los ojos se fueron tras el cohete que disparó Martín. Cuando estalló, entre los hombres corrió un estremecimiento y algunos se frotaron las manos. Uno, además, gritó:

—¡Viva el novio!

Le contestaron muchos:

—¡Viva!

Inmediatamente se oyó el estallido de otro cohete, lanzado desde otro lugar y por manos distintas a las de Martín.

—La señal de que sale la novia — dijo alguien.

Mientras tanto, el cortejo llegó a la puerta de la iglesia y los hijos de José se abalanzaron sobre Rosa, pero ésta los contuvo:

—Cuidado, que me vais a deslucir toda.

Los chiquillos quedaron defraudados, pero José trató de consolarles:

—Tenéis que estar quietecitos hasta que termine la ceremonia. Mamá es la madrina y no está bien que la manoseéis.

Entretanto, decía una mujer:

—Fijaros que jeta tiene la madrina.

—Ya, ya.

El médico embromaba a las mujeres ante la risa de la suya. Por su parte, Luciano, que era el punto de mira de los ojos femeninos, hablaba con Martín:

—¿Ha venido el organista de Romanzuelo?

Martín afirmó con la cabeza.

—¿Y los dulzaineros?

—También. Hace más de una hora que llegaron. Me los llevé a mi casa para que comieran y bebieran algo, no sea que no puedan hacerlo después. Y en mi casa deben estar todavía.

—¿Has visto a Margarito?

—No, pero dos primos suyos están allí, junto al tinglado de la cuba, con Goyo.

La atención general giró, de pronto, al otro extremo de la plaza, por donde acababa de aparecer el cortejo de la novia. Martín se apartó un poco y lanzó un cohete. Apenas había arrancado cuando se oyó salir otro de entre el acompañamiento de la novia, estallando ambos en el cielo casi a la vez.

—¡La novia! ¡La novia!

El grito brotó de entre las mujeres.

—Chica — comentó una —: yo creo que así sólo se casan los grandes señores.

—Por lo menos aquí nadie lo ha hecho con tanto rumbo.

El cortejo de la novia pasaba entonces a la altura del grupo de hombres congregados alrededor del nogal. Luciano, que avizoraba desde su sitio, sonrió complacientemente al oír la voz hombruna que gritó:

—¡Viva la novia!

—¡Vivaaá! — le contestó la masa de los hombres.

—¡Vivan todas las mujeres del pueblo!

—¡Vivan!

Luciano y José cambiaron una mirada.

Iluminada encabezaba el cortejo, del brazo de su padre. El tío Trucha, alto, enjuto, vestido de negro, andaba con la solemnidad de las procesiones del Viernes Santo, pero sonreía con la misma satisfacción que si estuviera viendo crecer sus futuras plantaciones de remolacha. La novia, por el contrario, se mostraba encogida, temerosa de miradas y gritos. En su acompañamiento se veían ancianos majestuosos que vestían largas capas de paño y que se tocaban con aludos sombreros, y muchas cabezas peladas en forma de brocha. En último término, las amigas de Iluminada, que cuchicheaban entre sí, miraban a los mozos, les sacaban la lengua y luego se reían cubriéndose la cara con las manos.

Al llegar a la puerta de la iglesia, Iluminada alzó la vista y se tropezó con los ojos brillantes del Negro, y ella entonces sonrió tímidamente.

Las mujeres murmuraban:

—A mí que no me digan, pero parece que la llevan al matadero.

—Pues mira al tío Trucha qué hinchado viene. Ya puede, ya puede...

—La tonta es la Ilu por haberse dejado vender como una borrega...

—Déjate, que por algo es consentidora.

Ya el Trucha e Ilu iniciaban el desfile hacia el interior del templo. Sonó el órgano. Siguieron el Negro y la madrina. Detrás, el médico, el alcalde, José y los viejos de las capas. Ya las muchachas se habían juntado a los mozos invitados y alguien tuvo que demandar silencio.

La última en entrar fue una mujer gorda que se lamentaba:

—¡Pobre Ilu! No sé por qué me da el corazón...

Y se hizo la señal de la cruz sobre el pecho.

III

Se había callado el órgano luego de repetir hasta la saciedad un trozo del Ave María de Gounod. El altar estaba cuajado de velas ardientes que envolvían a los novios y a los padrinos en un vívido fulgor que desde allí se desparramaba por todo el templo. En los bancos de madera, los hombres a un lado y las mujeres a otro, presenciaban la ceremonia los invitados y los asistentes espontáneos. Al callarse el órgano, se interrumpieron también los cuchicheos que en las últimas filas y en los vanos oscuros mantenían incansablemente las lenguas murmuradoras más empecinadas. Por eso pudieron oírse las claras respuestas de los contrayentes a las palabras del sacerdote:

—Luciano Fernández Castillo, ¿acepta por esposa legítima a Iluminada Roca Martín? Diga...

—Sí, la acepto por esposa legítima.

—Iluminada Roca Martín, ¿acepta por esposo legítimo a Luciano Fernández Castillo? —y, tras un breve silencio—: Di: "Sí, le acepto".

—Sí, le acepto por esposo legítimo.

Quedó el silencio transido de una misteriosa emoción y entonces sonó lejos, como un grito de rabia o de locura, el silbato de la locomotora del tren mixto de las ocho.

Los protagonistas permanecieron inmóviles sin que se advirtiera el ligero temblor que atacó simultáneamente a Ilu y a Rosa. Luciano siguió mirando fijamente al sacerdote y el Trucha dejó de sonreír. Pero, como estaban de espaldas al público, nadie pudo sorprender sus gestos. Únicamente don Amancio, pero éste, tras un leve titubeo que pareció un guiño, continuó desgranando con voz opaca las palabras litúrgicas:

—Yo os declaro marido y mujer en el nombre del...

Y, como si hubiera sido una señal esperada, el organista atacó de nuevo los resobados compases del Ave María.

Sin embargo, aquel lejano pitido produjo un nervioso cabeceo entre los asistentes. Se miraron a derecha e izquierda, incluso se volvieron, para hacer una seña o deslizar una palabra. La inquietud y el miedo llegaron en alas de aquel mordiente sonido, se disolvieron en el aire de la iglesia y provocaron en los asistentes diversas y aun contrapuestas reacciones: consternación, ansiedad y hasta regusto malicioso. Cuando empezó a crecer el murmullo, Martín abandonó el templo, llevándose muchas miradas expectantes tras de sí.

El órgano no conseguía apagar aquel sordo rumor de palabras, aspavientos, roces de vestidos, toses... El abejorreo llegaba hasta el altar y el sacerdote hubo de suspender un instante la ceremonia para advertir a todos:

—¡Que estamos en la casa de Dios!

Los novios permanecían con las manos enlazadas mirando a don Amancio; él, fríamente, pero ella, con evidente angustia. Rosa tenía los ojos cerrados y rezaba al parecer. Y el viejo Trucha sonreía otra vez despectivamente...

Tras unas toses tardías volvieron a oírse las palabras del sacerdote sobre el trémolo apagado de las últimas notas del órgano, que se desleían en el aire sonoro de la bóveda.

El cura cerró al fin el libro de las preces y tendió su mano pálida a los recién casados:

—¡Mi enhorabuena! — dijo a los dos —. ¡Dios quiera que tengáis muchos hijos sanos y robustos!

—¡Gracias! — contestó Luciano.

—¡Que Dios le oiga! — murmuró débilmente ella.

Luego, los novios se volvieron un poco y quedaron frente a frente, sin atreverse a hablar más que con los ojos, rebosantes de júbilo los de él, turbados los de ella.

Y llegaron las felicitaciones de los más afines. El beso de Rosa en la mejilla de la recién casada fue acompañado de un alfilerazo:

—Te has salido con la tuya. ¡Que te dure!

Iluminada no pudo replicar, aunque el deseo de hacerlo brilló en sus ojos, porque ya sus amigas se habían abalanzado sobre ella besuqueándola estrepitosamente. Ricarda, entre todas, no pudo contenerse a pesar de estar en la iglesia:

—¡Que seas muy feliz, Ilu! ¡Toma, toma! — la besó —. ¡Y que revienten las envidiosas!

Don Amancio, todavía revestido, se había quedado junto al altar. Dio entonces una palmada y el órgano sacó de sus registros una regocijante marcha nupcial. Con ella se inició el desfile.

—¿Has visto qué pálida está doña Rosa?

—Toma, como que le han salido mal las cuentas...

—Y el tío Trucha, mírale.

—Menudo gorrión está hecho el tío Trucha...

Cayetano, Juramentos y el alcalde iban juntos.

Decía el primero:

—El Negro parece el amo. ¿Te enteras, Maximiano?

—Déjalo, hombre, que ya vendrá el tío Paco con la rebaja — y el alcalde guiñó un ojo a Cayetano.

—¡Mecá! — exclamó Juramentos, temblando de indignación —. Ni rebaja ni órdigas. Aquí lo que está haciendo falta es otra cosa, Maximiano.

—¡Calla, ño, que te va a oír!

—No, si se la va a oír de todos modos. Mi muchacho... — y Cayetano bajó la voz de forma que sólo pudieran oírle sus dos amigos.

—¡Sandiola!

La Perromuerto cuchicheó a Rafaela:

—Mira, mira la Ilu... Y parecía una mosca muerta esta tarde. Entró en la iglesia con la cabeza gacha, pero sale más tiesa que una escoba.

—¡A ver!

Felipón aprovechó el barullo para tirar un pellizco a una moza. Ésta se revolvió airadamente, pero el bigardo la miró a los ojos con desfachatez, le guiñó y le dijo:

—¡Frío!

La muchacha se desconcertó ante aquella salida del chusco y optó por meterse dentro del grupo de las mujeres, murmurando:

—¡Válgame Dios, qué puercos!

Mientras, Felipón se relamía y daba con el codo a Lucio.

El médico y su mujer se habían juntado. Ella llevaba de la mano a sus hijos y, por delante, a los de Rosa.

—¿Crees que pasará algo, Felipe?

—Algo harán aunque, si no aparece el Isabelo, será cosa de nada —contestó él distraídamente mientras miraba con atención hacia el grupo de las mujeres.

—Son muy cabezotas y yo creo que está en el ajo hasta el alcalde.

—Que si son cabezotas... —replicó don Felipe—. Mira allá a la Felisa. Le dije esta mañana que no se levantase de la cama por nada del mundo. ¿Y sabes lo que me contestó? "¡Aquí voy a estar yo, repudriéndome!" Y ahí la ves con cerca de treinta y nueve que tendrá a estas horas. ¡Son como mulas!

—Pues si ya lo sabes, no sé por qué te preocupas tanto.

—Soy médico, mujer.

Cuando salieron al exterior, ya los chiquillos les esperaban formando un amplio círculo. Luciano e Iluminada se detuvieron y entonces se acercaron a ella Menegildo y otro mozo, portando cada uno una banasta rebosante de bollos.

Una vieja gritó con su agria voz:

—¡El madrinazgo!

Y las mujeres, sin distinción de edades, corrieron a situarse a ambos lados, en dos filas, en una las casadas y, en la otra, las solteras.

—¡El madrinazgo! ¡El madrinazgo!

Eran diferentes los bollos: con azúcar o sin ella. Iluminada comenzó a repartir los de azúcar entre las solteras, y Rosa, los sosos entre las casadas.

Entonces, los chiquillos se abalanzaron sobre el tío Trucha, gritando a su vez:

—¡Viva el padrino!

El señor Tomás se vio obligado a lanzar puñados de monedas al grupo de zagales. Éstos se tiraban a la rebatiña y, cuando cesaba la lluvia de calderilla, tornaban a gritar, con sonsonete:

—¡Padrino roñoso! ¡Padrino roñoso!

Luciano sonreía en medio del tumulto. A su alrededor todo el mundo había comenzado, de pronto, a reír y a alborotar. Martín llegó muy alegre:

—El personal está tranquilo porque nadie ha bajado del tren. Bueno, ya se ve... Y ahora mismo llegan los dulzaineros.

Los hombres no se habían movido de junto al nogal, pero ya empezaban algunos a hacer piruetas y a lanzar las gorras al aire.

Tres dulzaineros, cada uno con su respectivo tamborilero, se detenían en aquel momento en el centro de la plaza. Iban en mangas de camisa aunque con chalecos, y se tocaban con sus características gorras de piel de cabra. Había anochecido rápidamente. Se sostenía aún una tenue claridad en lo alto, pero en las calles se condensaban ya las sombras. En la plaza, el nogal manaba negruras que iban tiñendo el aire. Brillaban las lumbres de los cigarrillos, y, a distancia, sólo se distinguía ya la palidez fugaz de los rostros sobre los confusos contornos de las figuras.

Ilu y Rosa concluyeron de repartir los bollos y la primera volvió junto a su marido.

—¡Qué hermosa estás ahora! — le dijo él.

Ella parecía más animada y contestó, señalando sus adornos:

—Así cualquiera puede parecer guapa... Además, ya no se ve bien.

El Negro le oprimió el brazo suavemente y preguntó a Martín:

—¿Todo listo?

Martín afirmó con la cabeza.

—Pues, hala, empieza con los de ruido y sigue con los de luz.

José trataba de calmar el mal humor de Rosa:

—No hay más remedio que ser complaciente, mujer... Es la costumbre.

—Es que hay cosas que una no quisiera ver... Y este jaleo...

El tío Trucha se rebañaba los bolsillos de la chaqueta ante el insistente canturreo de los muchachos:

—¡Padrino roñoso! ¡Padrino roñoso!

Todos hablaban a gritos... Primero fue el de ruido, que dejó en el aire una estela de rabia fosforescente y que luego dio tres brincos en lo alto y, con cada brinco, un estallido. La gente quedó suspensa y, cuando el de luz reventó en cascadas de estrellas blancas y lágrimas verdes, la exclamación, como si brotase de una misma boca, fue unánime:

—¡Oooh!

Y, acto seguido, se encendieron las luces eléctricas del alumbrado público, parpadeantes y anémicas. Menos mal que se había reforzado la iluminación con un grupo de potentes bombillas instalado en la cima de los postes. Aquella fue la señal para dar rienda suelta al jolgorio...

Los dulzaineros atacaron una especie de alegre pasacalle. La música de estos instrumentos resultaba agria y efervescente, y sirvió para dar suelta al retozo contenido de la gente joven. Las mozas corrieron gritando hacia la zona que ocupaban los mozos y éstos empezaron a llamarlas por sus nombres. Los zagalones ululaban:

—¡Iá! ¡Iá!

La plana mayor, con Luciano a la cabeza, llegó hasta la fuente de vino. Detrás, los muchachos seguían acosando al Trucha, que ya no se encontraba monedas en ningún bolsillo.

—¡Padrino roñoso! ¡Padrino roñoso!

Al acercarse el Negro, los mozos recularon, dejando solo a Goyo en el triángulo de los postes. Pero Luciano se adelantó a su encuentro y les gritó:

—¡Eh! El vino y la música son para todos. ¡Hay que beber hasta la última gota y hay que bailar hasta que los músicos no se tengan!

Pero los mozos no se movieron. Los más cercanos al Negro se limitaron a sonreír estúpidamente y a rascarse la cabeza. En vista de ello, Luciano apeló a los hombres de su acompañamiento:

—¡Vamos a ver! Usted, don Felipe; usted, Maximiano; y tú, José, y todos, detrás de mí.

Los aludidos salieron remoloneando.

—Mire usted que esto no se ha visto en jamás de los jamases, don Felipe — dijo el alcalde, riéndose por las comisuras de los labios.

—Si está usted deseando, señor Maximiano — le contestó el médico, dándole unos golpecitos amistosos en el vientre.

No obstante, se animaron entre sí y salieron tras el médico que, más decidido que ningún otro, se colocó a espaldas de Luciano, cogiéndole por la cintura. El Negro hizo una seña a Martín y éste trepó por la escalera de mano. Abrió luego la espita y de ella saltó un delgado chorro de vino. El Negro lo estaba esperando con la boca abierta.

—¡La camisa! — gritóle Rosa.

—¡Buen saque! — comentó alguien.

Iluminada admiraba en silencio a su marido que, con la cara vuelta hacia la cuba, recibía en la boca el chorro de vino. Al ir a cazarlo, le saltó sobre la pechera, pero luego ya no se movió y el chorro de vino semejaba una brillante serpentina que el hombre retuviera con los dientes. Así estuvo largo rato, bebiendo con la boca entreabierta y con la manos apoyadas en la cintura.

—A que se lo bebe todo...

—A que la agota...

Entre las mujeres jóvenes cundían los comentarios:

—Si para todo es el primero...

—Chica, qué planta de hombre.

—Y que lo digas. Igualito que los otros...

—¡Chica!

—Si es la verdad, ¡ea!

Y suspiraban algunas. Sólo Iluminada permanecía impasible.

Al fin, Luciano se volvió, sin dejar de beber, e hizo señas al médico para que se preparase. Se juntaron casi las dos caras y entonces el Negro echó para atrás la cabeza al tiempo que adelantaba la suya don Felipe. A pesar de ello, el vino saltó a la frente del nuevo bebedor y, como le cegara, el hombre movía la cabeza sin acertar con el chorro. Mientras estallaban las risas, su mujer le gritó:

—¡Que te vas a poner hecho un asco, Felipe!

El médico logró coger el chorro cuando ya el vino le corría abundantemente por la cara.

—¡Felipe: el traje! — volvió a advertirle su mujer, pero él, sin interrumpir el largo trago, pudo enjugarse el rostro con el pañuelo. Y en su honor sonaron los vítores y los aplausos:

—¡Viva don Felipe!

El Negro, entretanto, se acercó otra vez al grupo de los mozos y, por señas, les instó a que se unieran a la fila de bebedores. Los mozos se miraron entre sí y hubo un momento de indecisión. Pero en seguida empezaron a incitarse mutuamente con empujones, hasta que uno de ellos se decidió de una manera brusca. Empujó fuertemente hacia atrás, hasta hacerle tambalearse, al que le tenía sujeto por el cuello de la camisa, y corrió a ponerse en fila. Acto seguido se resquebrejó la pasiva unanimidad de aquellos hombres que se lanzaron en tropel tras el primero. Se animaban chascando la lengua y gritando:

—¡Aire! ¡Aire!

Se formó así un largo cordón de hombres cogidos por la cintura. Y pronto ese cordón, enmedio de risas y exclamaciones, empezó a oscilar para adelante y para atrás en bruscos vaivenes. Como consecuencia de ello, el chorro de vino saltaba de la boca del bebedor de turno a la cabeza del siguiente. Y cuando el bebedor estaba a punto de cazarlo, un tirón de atrás le hacía perderlo y que le cayese por la pechera. El médico ya había concluido de beber cuando empezó el juego, pero el alcalde sufrió plenamente sus consecuencias y salió con el pelo mojado y pegado a la frente. José no pudo beber siquiera.

Continuaba la musiquilla agria de las chirimías repiqueteadas por los tambores. Las mozas se pellizcaban, impacientes, y daban saltitos. Las viejas, con las manos cruzadas sobre el vientre, se miraban y hacían aspavientos.

—¡Vamos, vamos...!

Luciano, entre Ilu y José, decía:

—Me parece que hemos ganado la partida. Ya lo ves, José: no hay mejor cosa que agarrar al toro por los cuernos.

Rosa, encogiendo los pies uno tras otro, preguntó:

—Pero, ¿hasta cuándo va a durar esto?

—En cuanto bailemos un par de piezas, nos iremos a cenar — le respondió Luciano tranquilamente.

Ella hizo un mohín de disgusto, y José intervino:

—Ya falta poco, mujer.

—Si es que no puedo aguantar el dolor de los pies...

—De eso tiene la culpa el afán de presumir de tacones — terció el médico —. Si supieran ustedes el daño que les hace...

—Y tú, ¿de qué presumes? — le preguntó, riendo, su mujer.

—¿Yo?

Pero ya los mozos habían entrado en turno bajo el chorro de vino. Trataron de zarandear al primero, pero protestó enérgicamente:

—¡Quietos ya, sandiola! ¿Vamos a beber o qué?

Su protesta fue aceptada por los demás y el mozo pudo ponerse a beber sin ningún cuidado. Desde entonces ya no empujaron a nadie y permitían que cada bebedor trasegara todo el vino que quisiera. Entraban todos con la boca abierta, los brazos desplegados como para guardar el equilibrio... Los invitados, además, lucían el copete de largos pelos revoloteándoles sobre la frente... Ingurgitaban sin prisas, acompasando la respiración. Como eran expertos bebedores de porrón y bota, algunos se permitían primores y filigranas, tales como mover la cabeza para ambos lados con el fin de que el chorro fuera recorriendo la boca de un extremo a otro, o dejarlo caer sobre la frente y canalizarlo hasta los labios por las arrugas de ambos lados de la nariz y de entre los pómulos. Cuando se cansaban de beber, se volvían de cara al próximo, transmitiéndole el chorro sin que cayese al suelo una sola gota.

El alcalde comentaba:

—Es de ver el capricho. Anda, que si yo fuera joven...

—¡Mecá! — barbotó Juramentos —. Ahora es que no hay reaños para nada...

—Para nada — convino desdeñosamente Cayetano —. ¡Míralos qué majos! Por un trago son capaces de vender su alma al diablo...

—Déjalos — dijo Maximiano —. Ya habrá lugar para todo.

—Tú, siempre con teóricas, Maximiano.

—Y tú, siempre cérrimo, ño.

Se había hecho de noche totalmente. Martín y Felipón tiraban los cohetes, aquél los llorones y, éste, los de estampido seco. Los cuajarones de luz temblaban en el cielo e iban a morir en la infinita negrura, pero antes, las casas, el bosque cercano y la muchedumbre de la plaza se veían chorreando colores fugaces.

—¡Estos, estos sí que forman trépite! — decía orgullosamente Felipón cada vez que salía bufando uno de los suyos.

De repente, las muchachas empezaron a gritar, a coro:

—¡La rueda! ¡La rueda!

Y los mozos que ya habían bebido se unieron a ellas con sus vozarrones:

—¡La rueda! ¡La rueda!

Entonces los músicos cambiaron de compás y de tono. El nuevo son era el de una jota bastarda. A su conjuro, los mozos y las mozas se emparejaron rápidamente y comenzaron un baile suelto, hecho de cambios y trenzados de pies, acompañado, además, del chasquido de los dedos. Así se formó la rueda en torno al nogal. Ellos y ellas quebraban la cintura y movían la cabeza a un lado y a otro siguiendo el acelerado compás.

—¡Los novios! ¡Los novios! — reclamaron entonces los bailarines.

Luciano e Iluminada fueron empujados hacia la rueda y ésta se abrió para que formasen un nuevo eslabón de ella. Iluminada era experta en la danza y se acompasó en seguida. El Negro, tras unos pasos vacilantes, cogió el ritmo también.

—¿Pero tú sabes bailar esto? — le preguntó ella, asombrada.

—¡Bah! No tiene esto nada de particular — y Luciano sonreía —. Es baile de cristiano, mientras que allá...

En aquel momento llegaba al Escaso el turno para

beber. Y lo hizo con ansia un tiempo que pareció excesivo a los que aguardaban detrás.

—¡Deja algo, ño!

—¡Suéltalo ya, Escaso!

Las mujeres rieron estridentemente al oír el apodo del barbero y, después de soltar la risotada, se tapaban la boca con las manos.

El Escaso, harto ya, hizo intención de volverse para dejar sitio a otro, pero los inmediatos a él se lo impidieron. Uno de ellos dijo a los de atrás:

—¡Éste está bebiendo aquí hasta que se mée!

—¡Iá! ¡Iá! — respondieron algunos.

Rosa, al oír estas palabras y exclamaciones, no pudo evitar un gesto de desdén.

—¡Jesús, qué bestias! — exclamó.

—Es que el vino está haciendo de las suyas... — dijo José —. Yo creo que ha sido un error de mi hermano esto de darles vino hasta que se harten.

El médico se había encarado con Felisa:

—Ya veo que me haces mucho caso. Yo no sé para qué llamáis al médico, la verdad.

La mujer tenía los ojos febriles y, sin embargo, estaba intensamente pálida.

—¡Ay, don Felipe: no me regañe! Si iba a estar peor en la cama oyendo todo este trépite... Ahora mismo me voy, ahora mismo...

Don Felipe se encogió de hombros pacientemente y no insistió.

El tío Trucha hablaba en el corro de sus amigos:

—Mi yerno va a hacer dejación de lo de la Ilu en beneficio de la escuela. Ya se lo tiene dicho a Maximiano.

—¿Y por qué no renuncia tu hija del todo y así pasaría a las demás? — le preguntaron.

El tío Trucha sonrió.

—Porque hay que estar en todo, hombre. ¿No ves que puede morirse el Negro?

—Bueno, ¿y qué? Entraría otra vez en las partes.

—¡Quiá! Que una vez que se renuncia, ya no hay quien te valga. Además, ¿no lo va a dar para la escuela? Es para todos también, como aquel que dice.

—¡Bah! — le replicaron —. Eso es como no decir nada. ¿Para qué queremos aquí escribientes ni retólicos, vamos a ver?

—Ya ves tú: para nada.

Entonces el señor Tomás dijo gravemente:

—Así estamos como pezuños. Luego nos sabe mal que venga un forastero como mi yerno, que tiene letras, y se haga el amo.

—No tiene letras, ño, tiene duros.

—Y letras — insistió el Trucha —. ¿Creéis que se puede gobernar tanto dinero sin saber de pluma? Yo he ido con él al Banco y le he oído hablar con todos aquellos sabihondos con más conocencia de las cosas que todos ellos juntos.

El alcalde, aparte, comentaba:

—Ese tío Trucha es un indino.

—¡A él tenían que darle la cencerrada, a él! — bramó Juramentos.

El Escaso había cerrado los ojos y bebía con fruición, aunque ya empezaban a relajársele los músculos de la cara y los brazos le pendían inertes.

—¡Choto! ¡Mamaúvas! — le gritaron desde los últimos puestos de la cola de bebedores.

Los dulzaineros, con los carrillos hinchados, sudaban a chorros por bajo la piel de cabra de las gorras, y tocaban con los ojos cerrados. A los tamborileros se les habían apagado los cigarrotes y se los pasaban con la lengua de un extremo a otro de la boca, sin descansar en el aporreo de los parches.

Ya los bailarines sudaban también. En la cabeza de Ilu temblaba la diadema de aljófares y ella, de cuando en cuando, se resentía de los pies con un gesto.

—Que no se diga, Ilu. Tenemos que aguantar como los primeros.

Mas uno de los mozos bailarines se paró de pronto y obligó a hacer lo mismo a su compañera. Las parejas chocaron y se deshizo la rueda. El mozo aquel, entonces, enlazó fuertemente a la muchacha por la cintura y gritó con ronquera:

—¡Al agarrao!

Otras muchas voces roncas clamaron también:

—¡Al agarrao!

Las mozas, enardecidas, transminaban ciegos alborozos, espesando en su torno una atmósfera tan excitante como un campo magnético.

—¡Chicas: al agarrao! — gritaban con agudas voces, envalentonándose las unas a las otras.

Los mozos eran cargas explosivas a punto de estallar. Excitados por el mosto y por el picor de aquellos efluvios femeninos, apenas podían dominarse ya. Se hubieran lanzado a pelear, a correr, o a cualquier otro ejercicio violento que les librase de aquella congestión vital, hasta dejarlos exhaustos. Se miraban con oscuro miedo unos a otros y, en ciertos momentos, ante la garganta desnuda y los senos agitados de las muchachas, se quedaban serios y sombríos. Y luego rompían en formidables ululeos para aturdirse.

Los músicos aprovecharon el cambio para respirar, escupir y vaciar la saliva de los instrumentos. Los del tambor, más tranquilos, procedían a encender una vez más sus cigarrotes, que empezaban a deshacerse y que desgranaban briznas encendidas.

En la fuente de vino no quedaban ya más que los casados. Dos de ellos retiraban al Escaso que se tambaleaba y que, espurreando saliva, murmuraba torpemente:

—¡Al agarrao!

Le hicieron sentarse en el suelo, contra uno de los postes.

—¡A ver si te oreas un poco! — le gritó al oído uno de sus portadores.

Los viejos y las madres miraban con recelo al grupo de los bailarines preparado para iniciar el agarrao. Ilu y Luciano se disponían, igualmente, a seguir la nueva danza. El alcalde y sus amigos, el Trucha y los suyos, el médico, José y todos los demás, se mostraban impacientes. Los dulzaineros se pusieron en facha y el mocerío prorrumpió en un clamoroso alarido. Y, a las primeras notas de aquella especie de pasodoble montaraz, los mozos agarraron a las mozas por la cintura y se lanzaron con ellas a un frenético bailoteo. En realidad no se ajustaba a ninguno de los cánones de Tepsícore. Era un furioso retozar entre carreras y vueltas rapidísimas. Ellos se doblaban sobre ellas, y las muchachas dejaban caer las cabezas hacia atrás, gorgorizando, con la boca abierta, una risa inacabable... Encima, la profunda noche de junio se iba poblando de estrellas, todavía titilantes de asombro.

Los hombres se quitaban las parejas unos a otros con una simple seña que era atendida sin regateos ni morosidades...

Felipón puso los cohetes en manos de Martín, diciéndole:

—Tome, maestro. Si no bailo, el que revienta como un *cuete* soy yo.

Una madre se acercó al grupo para amonestar a su hija, que se dejaba arrastrar, medio desvanecida de risa, en un torbellino de cabriolas.

—¡Juana! ¡Más formalidad, mujer!

Pero Juana le contestó, girando velozmente:

—¡Que una vez al año no hace daño, madre!

Maximiano meneaba la cabeza:

—Alguna avería va a haber esta noche entre el mocerío...

Iluminada y Luciano bailaban pausadamente. Él decía:

—¿Ves? Todo el mundo está contento. No ha pasado nada.

—Tú siempre ganas — murmuró ella.

—Con que te asustó la copla de anoche, ¿eh?

—Mucho.

—Pero ya no tendrás miedo.

Ella tardó en contestar:

—No sé: algo de angustia.

—Es que este ruido y este polvo marean a cualquiera.

—Sí, es eso: como un mareo.

Luciano se detuvo.

—Pues ya hemos acabado. La gente está ya deseando cenar.

Se unieron al grupo de los mayores y el Negro, al par de limpiarse el sudor de la frente, habló con Martín:

—Entrega los cohetes a cualquiera para que sigan tirándolos... Que el vino corra hasta que se acabe y que los del chiflo continúen tocando hasta que no se tengan.

El desfile de los principales de la boda provocó la desbandada de las mujeres casadas, que entonces se acordaron de la cena. También marcharon los invitados jóvenes, que se despedían del jolgorio con harto pesar. Los viejos y los casados se quedaron, sujetos por la golosina del vino.

Mientras el cortejo nupcial desaparecía, uno de los que se quedaban dijo a su compañero:

—Oye: ¿no son aquellos de Romanzuelo? — y señalaba a dos de los muchachos que bailaban.

—Sí, son sobrinos de Perromuerto.

—¿Y qué para que bailen sin haber convidado ellos antes?

Se agregaron más hombres.

—¿Los estáis viendo, ño?

—Pues esos tienen que pagarla.

Se cundió la voz en secreto y cuando los dos mozos forasteros atendieron la señal para dejar la pareja, se vieron rodeados y, en seguida, asaltados fulminantemente por cinco o seis hombres cada uno, que los inmovilizaron. Luego, los levantaron en volandas, pese a sus patadas y a sus mordiscos, y se los llevaron en dirección a la fuente, a los gritos de:

—¡Al pilón! ¡Al pilón!

Y al tiempo que zambullían en el pilón de la fuente a los forasteros, asomaban por una esquina Margarito, el Bomba, Santos y Bastián. Cada uno de ellos llevaba una gruesa estaca en la mano.

IV

El camión se detuvo retemblando y, a poco, descendió un hombre de su cabina de conducción. Mientras estiraba las piernas, otro hombre se puso dentro al volante.

—Oye: ¿pero qué es lo que pasa en tu pueblo? — dijo el de arriba mientras le largaba un maletín.

El de abajo contemplaba, asombrado, el estallido de los cohetes sobre el caserío del pueblo. Hasta allí llegaba también la agridulce música de las dulzainas.

—No lo sé — contestó —. Mi hermano me pedía en la esquela que viniese hoy sin falta, pero no me decía para qué. Por lo visto es que celebran una fiesta nunca vista. ¡Qué sé yo!

—A ver si es que a tu hermano le ha tocado el gordo de la lotería...

—¡Vete a saber! Como él no dice nunca las cosas de una vez...

—Es la costumbre de la gente de los pueblos: no decir nunca las cosas claramente. No dan un sí ni un no aunque los ahorquen.

El de abajo sonreía, con el pie sobre el estribo. El otro, echado sobre la ventanilla, miraba hacia el pueblo y hacía gestos ponderativos con la cabeza.

—Pues que te diviertas — murmuró.

—¡Psché! Aquí no se divierte uno ni con música.

—Hombre, por un día...

El de abajo se irguió sobre los dos pies y el de arriba dijo:

—Bueno, pasado mañana, aquí, a la misma hora, ¿eh?

—De acuerdo. Y, si quieres, nos llegamos después al pueblo para echar un trago juntos en mi casa.

—Según la carga que echen...

—Desde luego. De todas maneras, yo te esperaré aquí.

—Vale.

—Pues, hala.

El de adentro manipuló en las palancas y pisó los pedales. Trepidó el motor y el vehículo se puso en marcha.

—¡Hasta pasado mañana, pues!

—¡Buen viaje, Luis!

El de a pie, de figura alta y cenceña, estuvo mirando al camión hasta que, al doblar una curva, desapareció. Entonces, con la chaqueta al hombro y el maletín en la mano, empezó a descender lentamente la pequeña cuestecilla que llevaba al apeadero del ferrocarril. Allí no quedaba más que el vigilante, quien, al verle, le voceó:

—¡Eh! Que ya no hay tren hasta mañana porque el exprés no para.

El viajero, no obstante, siguió andando hacia él al tiempo que meneaba la cabeza. Cuando ya estuvieron muy cerca el uno del otro, el vigilante exclamó:

—¡Pero si es el Isabelo, ño! Y el personal pensaba que ibas a venir en el tren...

—¡Hola, Cuentatrenes! — saludó, sonriente, Isabelo —. He venido en uno de los camiones de mi empresa. ¡Buena gana de pagar billete pudiendo viajar de balde!

—Hombre, claro — y el vigilante se puso en pie.

Isabelo señaló hacia el pueblo.

—¿Qué es lo que pasa, se puede saber?

—¿Pero no lo sabes tú?

Isabelo denegó con la cabeza.

—¿Es posible? Entonces, ¿a qué vienes hoy?

—Mi hermano que me escribió una esquela para que viniese hoy sin falta... Y yo me las he apañado en la empresa para que me diesen este viaje.

—Pero... — y le miró a los ojos con extrañeza.

—Que ni mus, hombre. ¡De verdad!

—¡Leche!

Cuentatrenes no salía de su asombro e Isabelo, ya impaciente, le volvió a preguntar:

—Bueno, ¿me lo quieres decir o no?

El vigilante se rascó la cabeza, indeciso.

—Está bien, hombre — e Isabelo se encogió de hombros.

—Bueno, te lo voy a decir — y Cuentatrenes le miró dramáticamente —. A fin de cuentas te vas a enterar... Pues que la Ilu se ha casado hoy.

Isabelo frunció el entrecejo y no replicó. Cuentatrenes espiaba, ansiosamente, la reacción del mozo, pero fuese porque la oscuridad enmascaraba su rostro o porque sabía dominar sus emociones, el caso es que no logró desentrañar el enigma de su silencio y de su pasividad. Cuentatrenes meneó la cabeza, decepcionado y, cuando ya Isabelo se disponía a seguir su camino sin despegar los labios, le dijo:

—Pues menuda la tienen formada en el pueblo... Si no fuera por el mercancías que estoy esperando... Pero en cuanto pase el exprés, me voy para allá como un lebrel.

Isabelo le hizo un gesto de despedida con la mano y reemprendió su marcha.

—Malo, malo... — se quedó murmurando el vigilante. Luego, escupió ruidosamente y se sentó de nuevo en el poyo de piedra a esperar el paso de los trenes.

La carreterilla estaba solitaria. Los fogonazos de los cohetes dejaban caer una luz parpadeante que esclarecía, de pronto, la noche mansa del campo. Una de las veces, el cohete reventó en lo alto y volcó sobre el caserío del villorio una chorrada de colores vivísimos. Isabelo se detuvo entonces a contemplar la fugaz fantasmagoría. Luego se detuvo más veces a escuchar el creciente clamor de las voces y de la música y, después de cada parada, su paso era más lento, como si quisiera retardar en lo posible el momento de su llegada. Y, al topar con las primeras tapias, tomó una dirección circular, que desanduvo seguidamente tomando, en definitiva, rumbo en línea recta hacia la espalda de la iglesia.

Llegó a la plaza por la sombra. Los dos forasteros, ya fuera del pilón, se sacudían, como canes lanudos, el agua de las ropas mientras los bromistas, en corro, reían aún su gracia. Y uno de ellos le vio. Se quedó serio y exclamó, de pronto:

—¡El Isabelo!

A pesar del estrépito y de la algazara, la voz fue oída por muchos, que se volvieron a mirar en aquella dirección.

—¡Mira tú: el Isabelo!

—¡Eh! ¡El Isabelo!

Isabelo, inmóvil y espatarrado, contemplaba el estupor producido por su presencia. No gritó ni contestó a los saludos y, sin embargo, la alarma cundió hasta los últimos bebedores de la fuente de vino. Y un aire frío estremeció a todos. Las parejas fueron, sucesivamente, parándose. En las muchachas se apagó la risa y los mozos se miraron entre sí, recelosos y graves. Y los músicos, advertidos instintivamente de que algo inusitado ocurría, dejaron de tocar. Fue una parálisis progresiva y rápida que congeló la alegría y sopló sobre la plaza un silencio impresionante.

La zozobra y la expectación duraron apenas un instante porque, en seguida, Margarito, a la cabeza de sus parientes, echó a correr, preguntando:

—¿Qué pasa, qué pasa? ¿Qué es lo que pasa, ño?

—Tu hermano — le dijeron.

—Míralo. ¿O es que no ves?

Isabelo se había movido y estaba ya en la zona iluminada. Margarito le miró un instante, asombrado, como si viera una aparición, y, luego, de dos saltos, llegó junto a él, hasta rozarle la cara con su aliento.

—¡Si eres tú!

Isabelo se sonrió, pero Margarito gritó, como si explotase:

—¡Iá!

Dio media vuelta rápida y salió corriendo hacia la fuente de vino. Isabelo, por su parte, se quedó con los brazos en el aire y con la boca abierta...

Todos los demás siguieron atentamente la acción de Margarito, que subía a saltos por la escalera apoyada en uno de los postes. Una vez arriba, volvió a gritar, con más fuerza aún que antes:

—¡Iá!

Y a estacazos, descargados en el colmo de su furia, rompió todas las bombillas eléctricas que se habían instalado allí por orden del Negro. La plaza, de repente, quedó sumida casi en completa oscuridad porque las cuatro luces municipales que agonizaban en las cuatro esquinas no alumbraban más allá de un estrecho círculo cada una. Las muchachas entonces prorrumpieron en gritos y se desperdigaron como una banda de ratas chillonas. Los mozos trataron de impedir su huida en el primer momento, reteniéndolas por los vestidos y llamándolas:

—¡María, no corras!

—¡Pero, muchachas, no corráis, que no pasa nada!

—¡Vicenta! ¡Luisa!

Pero ellas lograban desasirse aun a cambio de rasgaduras en los vestidos y, sorteando como podían las manos de los hombres, desaparecieron por las bocacalles, sin dejar de gritar.

—¡Iá! ¡Iá! — tronó otra vez Margarito sobre el tumulto.

Se tiró de un brinco desde lo alto de la escalera y corrió hacia Isabelo. Sus primos, mientras escapaban los forasteros a favor de la confusión y otros muchos perseguían en vano a las muchachas, imitaron el ejemplo del más joven de los Pelocabra con las bombillas restantes y, así, el recinto de la plaza quedó ganado por la plena oscuridad de la noche.

Margarito cogió de un brazo a Isabelo y tiró de él, diciéndole:

—¡Esta noche va a ser la descomposición! El Negro va a tener que salir con el rabo entre las piernas.

Los primos y los demás mozos se unieron a los dos hermanos Pelocabra, formando un grupo donde todos gesticulaban y hablaban a la vez:

—La Iluminada... — empezó a decir uno.

—¡Déjate de mujeres ahora! — le interrumpió Margarito —. La cuestión ahora es con el Negro.

Otro intervino:

—Es el tío Trucha el que lo ha apañado todo.

Empujaban a Isabelo hacia adelante y él no sabía a quien mirar entre todos aquellos rostros excitados que se le acercaban para hablarle:

—Es viudo y forastero...

—Tiene mucha planta, pero nada más.

—Pero si es un viejo...

Los perseguidores de las muchachas habían desistido y se unieron también al grupo, seguidos de los viejos y de los casados. Únicamente se quedaron aparte los músicos, que aprovecharon la oportunidad de poder beber a su gusto en la fuente de vino.

—Tú y tú — decía Margarito a Bastián y a Santos — coger ahora mismo al Escaso y llevároslo, pero sin formar estropicio, ¿eh?

Bastián y Santos se fueron a cumplir la orden de su primo, pero los demás se estrecharon con mayor agobio para el Isabelo. Éste sudaba ya y hacía esfuerzos por soltarse de los que le agarraban para hablarle más confidencialmente:

—Tiene muchos cuartos el Negro. Más dinero que pesa, ¿sabes?

—No hagas caso.

—Yo creo que la Ilu ha ido a la fuerza.

—¡Y que no está guapa la Ilu, chacho!

—¡Al Negro, al Negro es al que hay que achicharrar! — gritaba Margarito.

—¡Cállate, ño, que pareces un traganiños!

—¡Callaros los dos, órdigas! — terció el Bomba.

—Si es que este...

—Lo tenemos todo listo, hermano.

—La que vamos a formar esta noche...

—Vamos a demostrar que tenemos lo que debemos tener. ¡Y más!

Habían dejado ya la plaza. Los casados y los viejos se iban desperdigando, pero los mozos no cejaban en su asedio al mayor de los Pelocabra, empujándole e interrumpiéndose unos a otros. Por su parte, Isabelo ya no intentaba romper el cerco y se dejaba llevar casi en volandas por los vehementes mozallones. Su única defensa consistía en empujar a los de delante con los puños.

—¡Que me váis a saltar los oídos! — gritaba también de cuando en cuando tapándoselos con las manos.

Y, al entrar en la cocina de su casa, Isabelo apareció con la camisa desabrochada, sin maletín y sin chaqueta, despeinado y sudoroso. Su padre permaneció sentado, pero se le quedó mirando fijamente con unos ojos más rojos que de costumbre, tal vez por efecto de la luz eléctrica. Pero su madre avanzó hacia él sonriendo.

—¡Ya está aquí! — gritó Margarito triunfalmente.

El grupo de los acompañantes, también con la ropa en desorden y con los rostros congestionados, se quedó un poco atrás y en silencio.

—Sabía que vendrías, hijo — dijo la madre tendiendo los brazos al Isabelo.

Y él, mientras la abrazaba, murmuró:

—Pues si llego a saber esto, no vengo.

El viejo Pelocabra abrió la boca como para hablar y los mozos se miraron entre sí, atónitos. Sólo la madre asintió con un gesto apenas perceptible.

—Pero, ¿estás borracho o qué? — le preguntó bruscamente Margarito.

Isabelo se enfrentó entonces con su hermano:

—¿Por qué no me dijiste en la carta lo que os traíais entre manos?

Margarito, chispeantes los ojos inmensamente negros, dijo, cargando la voz de desprecio:

—Por si no venías. ¿No ves que te conozco desde siempre?

Isabelo acusó el pinchazo, pero se contuvo. Los dos hermanos, mirándose fijamente, se vieron, como a la luz de un fogonazo, desde los días de la niñez.

—Pero, bueno: ¿no fue la Ilu tu novia? — preguntó uno.

—Claro que lo fue, pero ahora tengo otras, hombre.

El Bomba, con el ceño fruncido, preguntóle a su vez:

—¿Y no te importa que se case?

—Ni chispa. Pues, ¿qué iba a hacer?

—¿Ni que él sea viudo y forastero?

—¡Y qué más me da a mí que sea con uno o con otro!

Tal fue el asombro que produjeron estas palabras entre los circunstantes, que el mismo Bomba, que había arremetido contra su primo, rojo de cólera, palideció y se quedó sin saber qué replicar. Los demás se pasaban la lengua por los labios o parpadeaban, incapaces de admitir lo que estaban viendo y oyendo. Margarito se recogió en sí mismo, hinchándose de indignación muda y terrible.

Isabelo volvió a hablar, en medio de un absoluto silencio:

—A mí, el que se case Iluminada me trae sin cuidado. Ya no es mi novia. ¡Si la dejé yo! Ahora tengo otras en los paradores de la carretera... — se sonrió desdeñosamente y prosiguió —: Vosotros es que estáis como fieras porque no lo catáis... Os ponéis como locos en cuanto se casa cualquiera. Por ahí la gente procura apañarse por su cuenta y no anda con tantos aspavientos porque dos tipos se echen la cuerda al cuello... En la capital, las mujeres andan sueltas y no hay más que acercarse a una y envidarla y, si hay un poco de suerte, ya está. Algunas quieren a la menor.

—¡Faroles! — exclamó Fernando.

—Entonces, ¿tú dejas que se la lleve el Negro así, sin más? — le preguntaron.

—Como si es un gitano o el rey del Perú — contestó Isabelo.

—Encendiendo faroles, como siempre — dijo Fernando.

Margarito, que había estado conteniéndose a duras penas, intervino:

—Bueno, vosotros iros para la paridera como lo teníamos hablado. Yo estaré allí también antes de nada. ¡Hala, que puede que éste cambie de parecer!

Los mozos remolonearon y el Bomba dijo:

—Pues si él se raja, nosotros, no. ¡Vamos, chachos!

Con todo, se fueron de mala gana. Antes de que desaparecieran en la sombra del zaguán, Margarito cogió a Isabelo por un brazo.

—Vente conmigo arriba, a nuestro cuarto, que tenemos que hablar tú y yo.

Isabelo no opuso resistencia. Hizo un gesto de resignación con los hombros y siguió a su hermano. Las manos del viejo Pelocabra temblaban remetiéndose la faja. También temblaban sus labios y no quitó los ojos de sus hijos mientras éstos subían por la escalera.

—¡Ay, estos hijos! — gimió la vieja sentándose junto a su marido —. Por eso yo quería chicas. Las chicas dan más producto y menos quebraderos de cabeza.

Pelocabra no replicó y, mientras su mujer se secaba las lágrimas con el negro mandil, él cerró las llagas de sus ojos.

Margarito, una vez dentro del cuarto, apretó la puerta y dijo:

—Si te quieres sentar...

—Deja. Estoy bien de pie — contestó Isabelo.

Margarito dio unas zancadas hasta quedar en el otro extremo de la habitación, de espaldas a Isabelo. Y empezó a hablar, sin volverse:

—¿Estás decidido?

—¿A qué?

—A no hacer nada contra el Negro.

—Hombre, no tengo decidido nada, ni a favor ni en contra. Creo que lo que queréis hacer es un atraso, la verdad.

Margarito dio un paso más y quedó de codos sobre el alféizar de la ventana. Luego, se cogió la cabeza entre las manos.

—¿Es que no te acuerdas ya? — murmuró, después de un breve silencio.

—¿De qué? — e Isabelo se dejó caer desmadejadamente sobre una de las camas.

—¡De qué va a ser, Dios!

—Explícate, hombre — y la voz del Isabelo sonaba fría y tranquila.

Una breve pausa y otra vez Margarito:

—De las cosas que le hacías a la Ilu — y su voz sonaba oscuramente.

Isabelo se sonrió en silencio. Margarito se apretaba la cabeza con las manos. Estaban absolutamente solos, sin ruido a su alrededor. El flaco aliento de la noche que entraba por la ventana balanceaba la luz y hacía que las sombras de los hermanos se movieran en las blancas paredes de la alcoba... Margarito, concentrando la voz, que le dolía, continuó:

—Aquí mismo, por las noches y mientras nos caíamos de sueño, me lo tienes contado todo: lo de los lunares en los pechos y en los muslos, lo de... ¿Pero es que no te acuerdas?

—¡Bah!

—Me decías: "He entrado en la cuadra por la puerta

de atrás y ella me estaba esperando. ¡Nos hemos dado una!" ¿Es que ya no te acuerdas?

—Esas son figuraciones tuyas, Margarito.

—No. No son figuraciones mías. ¡No! —y se mesaba los cabellos—. ¡Tan cierto como hay Dios! —y, después de otra pausa de la que su voz salió más ronca—: Otra vez me dijiste: "¡Qué carnes tiene, chacho, tan blancas! Y, cuando le muerdo los labios, me parece que muerdo un melocotón, pero de los del melocotonero grande, que huelen tan bien y son tan sabidos!"

—¿Yo te he dicho eso a ti?

—Sí, sí. ¡Sí! Y muchas cosas más. Todas las noches me contabas lo que hacías con la Ilu. Y, luego, yo no podía dormir...

—Bueno, hombre, bueno. A veces el vino le hace a uno decir unas cosas...

—Pero siempre no estabas bebido.

—Pues sería por ganas de hablar, mira tú.

—Entonces, ¿eran mentiras? —y la voz de Margarito apretaba como una soga en torno al cuello.

—Hombre, buena es la Ilu para tentarle el pelo de la ropa siquiera. Por eso la dejé.

Entonces, Margarito, volviéndose de un salto, bramó:

—¡Voceras!

Miraba a su hermano, encogido, hecho una pelota de músculos. Al verle así, Isabelo se puso en pie rápidamente. Y como Margarito se le acercase temblando, dio un paso atrás. Aquél con la voz rota, desgarrándosele dentro un sollozo terrible, dijo:

—Por haber creído lo que entonces me decías la he perdido yo ahora. Un hombre que hace esas cosas con una mujer, tiene que casarse con ella. Pero era todo mentira. ¡Bocazas!

Isabelo rechinó los dientes, pálido.

—Estás loco —dijo.

—Tú me pusiste loco.

—Necesitas desahogarte con una mujer. Eso es lo que te pasa.

—¡Cállate!

Margarito echó por delante los brazos, que se quedaron en el aire.

—¡Tenía que matarte ahora mismo! —prosiguió, otra vez con la voz ronca y concentrada, mientras retorcía las manos—. ¡Pero tú no eres hombre para mí —y le escupió a la cara.

El salivazo quedó colgando de la mejilla de Isabelo, que temblaba. Una ira pálida se apoderó de él.

—¡Bestia! Si pudiera olvidar que eres de mi sangre...

—¡Olvídalo! Anda, arráncate. Quisiera que te arrancases. ¡Cobarde!

Los dos respiraban un vaho de odio, de un odio húmedo de entrañas y sangre calientes.

—¡Pero, hijos!

La madre apareció, como un pálido fantasma entre sus ropas de luto. Su voz trémula sonó cuando ya Margarito reía para abalanzarse y cuando ya Isabelo, abierto de piernas, buscaba, a tientas, algo con que herir.

—¡Hijos! —repitió la madre sollozando.

Margarito respiró honda y ruidosamente. Isabelo, exhausto, dejó caer los brazos. Aquél dio un bufido y se encaró con su madre:

—¡Ahí tiene, madre, su niño bonito! Ande, cómprele camisas y pañuelos y hágale dulzainas... ¡Cómprele también unas sayas, ande!

De un salto llegó a la puerta, pero aún se volvió desde allí para gritar:

—¡Ya no hay más Pelocabra que yo!

Después ya no se oyeron más que sus brincos rápidos por la escalera.

Isabelo y su madre se miraron calladamente. Luego, él bajó los ojos mientras se limpiaba el salivazo infamante.

—¡Mi Isabelo! —exclamó la madre poniéndole un brazo sobre el hombro —. Le he querido y le quiero, pero yo no tengo la culpa de que tu hermano sea como es. Desde que te fuiste, ni tu padre ni yo podemos hablarle. Nos mira, nos mira y casi nunca nos contesta. Fíjate: hemos tenido que vender las ovejas porque él no les hacía caso. Y las tierras las tenemos baldías. Anda solo por el monte. Lo único que todavía hace, cuando le da por ahí, es tronzar pinos. Por eso estamos perdiendo la poca hacienda y hemos tenido que pedir dineros al Negro...

—¿Que le deben dinero al Negro ese que se ha casado con Iluminada? — preguntó, asombrado, Isabelo. Y como la madre afirmase en silencio con la cabeza, requirió —: ¿Cuánto?

Ella se encogió de hombros.

—No lo sé — contestó —. Pero más del que tenemos.

Isabelo se dejó caer otra vez desmayadamente en la cama, dando muestras de estar abrumado.

—Yo no sabía nada de eso, madre.

—¿Para qué te lo íbamos a decir? Tampoco sabíamos nosotros tus manejos allá.

Isabelo miró a su madre y sonrió después tristemente.

—No quería decir nada a nadie hasta que me vierais aparecer en el pueblo con un camión mío.

La madre sonrió también, pero con una luminosa ternura.

—Ya sé que tú eres así, ya.

Pero Isabelo abatió la cabeza y quedaron en silencio. La madre permanecía en pie junto a él, manteniendo cruzadas las manos sobre el vientre. El parecido físico entre los dos era extraordinario: los mismos ojos soñadores, la misma boca suave, la misma finura de miembros... El muchacho había quedado en actitud pensativa y la madre aguardaba.

—Entonces... — murmuró al cabo de un rato Isabelo —. Entonces se juntan las dos cosas: la Ilu y el dinero que ese hombre le ha prestado a padre. Es mucho para Margarito.

—No. Lo del dinero no lo sabe Margarito.

El mozo levantó la cabeza.

—¿Y cómo sabe usted que él no lo sabe?

—Porque ni tu padre ni yo se lo hemos dicho y el Negro es muy reservado, según dicen.

Isabelo estrujaba nerviosamente el pañuelo entre las manos.

—De todas maneras — dijo — es muy capaz de hacer cualquier barbaridad esta noche. Y todo por mi culpa, esa es la verdad.

—El cavilar tanto es lo que le trastorna.

—Cavila tanto por mi culpa. Eso es lo que trae hablar más de la cuenta.

Se oyó entonces el estampido de los cohetes y el sonar de las dulzainas y los tamboriles.

—¿Qué es eso, madre?

—Serán los de la boda que siguen de festeo.

En el rostro de Isabelo apuntó una ligerísima esperanza.

—Mejor que sea así, ¿verdad?

—Puede.

Se callaron. Los cohetes seguían estallando y, a través de la ventana se percibían sus centelleos. La música era más viva. La madre se acercó a Isabelo.

—Baja y cenas un poco. Te prepararé una sopa como a ti te gusta: con huevos estrellados.

Isabelo levantó hacia ella la cara sonriente.

—Si no tengo gana, madre.

—Anda, que también tengo unos bollos de azúcar y miel.

Isabelo se puso entonces en pie y pasó un brazo sobre la espalda de su madre. Y ella dijo dulcemente, sin mirarle:

—¡Mi Isabelo!

LA NOCHE

I

—¡Hum! Me da en la nariz que estos no se van para nada bueno — murmuró Ricarda al oído de Luisa, sentada junto a ella —. Al remate van a meter la pata.

Acababa de desaparecer Menegildo por la puerta de la cocina. Luisa no replicó y Ricarda se agitó en su silla con irreprimible nerviosismo. Poco a poco, un misterioso contagio fue apagando las risas y ensombreciendo los rostros. Y, de pronto, se miraron todos, sorprendidos de que se hubiera eclipsado la alegría que hasta entonces reinara en el banquete nupcial.

Luciano paseó su mirada a lo largo de la mesa cubierta de manteles blanquísimos, deteniéndola, con intencionada morosidad, en los descarados huecos que aparecían entre los comensales. Y en este recorrido, sus ojos fueron acompañados por los de Iluminada, quien no podía ocultar su desasosiego.

—Allí estaban Goyo, Lucio y Felipón — murmuró el Negro, señalando sus sitios vacíos —. Y, allí, Menegildo.

Todos se sintieron incómodos e incapaces de disimular su estado de ánimo. El mismo tío Trucha, sin su máscara petulante de ceremonia, aparecía con su expresión genuina de zorro precavido y suspicaz. Tan sólo el alcalde, sentado frente por frente a Luciano, trató de salvar aquella difícil situación.

—Es que con su invento de la fuente de vino, señor Luciano, ha revolucionado usted al pueblo — dijo, guiñando un ojo a los recién casados, y añadió, con tono y ademanes picarescos —: Los mozos ya no andan más que al rastro de las mozas, como perdigueros.

Pero Luciano le clavó sus ojos metálicos y la sonrisa del alcalde se deshizo en una mueca. Maximiano, para disimular, se pasó la lengua por los labios.

—La música y los cohetes hace rato que no suenan y los mozos se han marchado, ¿qué pasa?

La pregunta quedó colgando en el aire y Luciano fue requiriendo la respuesta en los ojos de cada uno. Pero todos rehuían enfrentarse con aquella mirada. Entonces Luciano se puso en pie.

—¡Luciano! — exclamó, asustada, su mujer, cogiéndole de un brazo.

El Negro se inclinó, sonriente, sobre ella y le acarició la mano.

—No te preocupes — le dijo —. Aquí hay gato encerrado y yo quiero saber lo que pasa. Quiero también ver con mis propios ojos los que están a mi favor y los que están en contra.

José, sentado junto a Iluminada, trató de calmarle aunque él mismo denotaba gran inquietud.

—Es que la gente tiene que cenar también, hombre, y los mozos, como dice Maximiano, se habrán ido a sus citas con las muchachas...

—¡Ay, Dios! — suspiró inoportunamente Venancia.

—No gimotees tú ahora — reconvino el tío Trucha a su mujer en voz baja, pero que pudieron oír todos perfectamente debido al silencio reinante.

—Pues yo creo que lo mejor es continuar ¡qué caramba! Aún nos falta lo mejor: los dulces, el coñac y el puro — bromeó don Felipe.

Pero Luciano divisó a Martín, que acababa de regresar de una de sus frecuentes salidas.

—¡Martín! — llamó.

El aludido avanzó en medio de la expectación y de la ansiedad generales.

—¿Qué es lo que pasa, Martín?

Los ojos de todos estaban pendientes de los labios de aquel hombre.

—Hombre, pasar, lo que se dice pasar, no pasa nada — contestó, encogiéndose de hombros.

—Entonces, ¿por qué no suenan los cohetes ni la música? ¿Y por qué se han ido escurriendo, uno detrás de otro, los mozos que nos acompañaban en la cena? Tú lo sabes y tienes que decírmelo.

Martín paseó la mirada por todo el concurso y al comprobar la general ansiedad, se decidió de golpe y, tras abrir los brazos, dijo:

—Pues la verdad es que ha llegado el Isabelo, creo que en un camión. Y, nada más pisar la plaza, el personal dejó el baile y se marchó a sus casas.

El Negro apuró el vaso de vino de un solo trago.

—¡Ay, Virgen! — volvió a lamentarse Venancia.

—Bien — murmuró Luciano al retirar su silla.

José, Maximiano, el alcalde y algunos más, se levantaron también, pero el Negro los detuvo con un gesto imperativo de la mano.

—No. Ustedes se quedan aquí. Esta es una cosa que tengo que arreglar yo solo.

—Pero, Luciano — balbució José.

—He dicho que no, José — remachó enérgicamente Luciano y, dirigiéndose a los demás, añadió —: El mayor favor que pueden hacerme en estas circunstancias es quedarse aquí y seguir la fiesta como si no pasara nada.

Iluminada se puso entonces en pie y se agarró fuertemente a un brazo de su marido.

—Yo sí quiero ir donde tú vayas, aunque sea al fin del mundo.

—Las mujeres no hacemos más que estorbar — insinuó Rosa.

—¡Virgen, que si estorbamos...! — gimió Venancia.

El Negro quebró las duras líneas de su rostro para sonreír a Iluminada y decirle:

—Claro que sí. Tú eres mi mujer.

La cogió del brazo y, en medio de un silencio frío y doloroso, ambos se dirigieron a la salida. Al pasar junto a Martín, éste dijo en voz baja:

—¿Y yo?

Luciano miró aquellos ojos fieles y seguros.

—Coge un puñado de cohetes y acompáñanos.

Y así, seguidos de Martín, que cogió un haz de cohetes de encima de una silla, salieron a la calle. José, el alcalde y el médico se miraron, pero no se atrevieron a moverse.

—Yo, de aquí a un rato, saldré también a ver qué pasa — dijo el alcalde después de mirar a todos.

—¡Muy bonito! Dentro de un rato... Cuando haya pasado la tormenta — protestó sarcásticamente Rosa —. Ella es la que debía haberse quedado y no los hombres.

José miró a su mujer con muestras de incomodo.

—No lo eches por la tremenda, haz el favor. Mi hermano no nos perdonaría nunca que saliéramos ahora tras él para guardarle la espalda. Lo tomaría como una humillación tremenda.

—¡A ver! — terció el tío Trucha —. Mi yerno no es ningún niño y sabe muy bien lo que tiene que hacer.

—Pero los otros, a lo mejor no — intervino el médico.

—Pero si va Martín con él — apuntó Maximiano.

—Algo es algo — concedió don Felipe.

—Martín es un hombre entero y fiel — dijo José.

—¡Ay, Virgen, qué ganas tiene una de que pase todo esto! — exclamó la vieja Trucha.

—Y dale, mujer. Creo que todos los presentes tenemos las mismas ganas que tú — y el señor Tomás trinchó una fruta con su cuchillo.

Los demás trataron de imitarle, menos Rosa, que no podía disimular su nerviosismo. Tal era el silencio que cayó sobre los preocupados comensales, que sonaron escandalosamente los chasquidos de la manzana que mordía el flamante suegro de Luciano. El mismo tío Trucha se asustó y ya siguió comiendo a pequeños bocados.

—¿No te dije, Luisa, que al remate van a meter la pata? Me da en la nariz que esto va a acabar como el rosario de la aurora. Y todo por envidia... — murmuró Ricarda otra vez al oído de su compañera.

Luisa se estremeció.

—Calla — le dijo —. Las mujeres no tenemos vela en este entierro.

—Eso es lo malo que, si no, ya les iba a enseñar yo a estos calzonazos...

* * *

Al salir a las tinieblas de la calle, Luciano preguntó a Iluminada:

—¿Tiemblas?

—No lo puedo remediar. Es el remusguillo que se ha apoderado de mis nervios.

—No temas nada, tonta — y le apretó la mano.

La calle estaba sumida en la oscuridad y en el silencio. La mayoría de las puertas de las casas aparecían cerradas. Por alguna, entreabierta, se divisaba la lánguida luz de la cocina. Las sombras se agazapaban en los huecos de ventanas y balcones, y sus cristales brillaban como pupilas medrosas. La soledad y la huida habían recorrido la calle antes que ellos, dejándolo todo inerte.

Luciano y su mujer iban por el centro, ya sin hablar, con ojos y oídos para la menor sorpresa. En la retaguardia, Martín, también prevenido. Los pasos de los hombres, que sonaban fuertes y desacompasados, ahogaban los de la mujer.

La plaza se presentó como un remanso de oscuridad más sólida. Y allí, el silencio era más sobrecogedor y sospechoso. Habíase refrescado el ambiente por un tenue vientecillo y sólo se oía el rumor de las hojas del nogal. Sin embargo, cuando se detuvieron y cesó el ruido de sus pasos, pudieron distinguir como el dúo de dos voces monótonas que se hablaban a distancia. Era el lagrimeo de las fuentes del vino y del agua que seguían corriendo indiferentes, cada una con su son.

Luciano dijo entonces a Iluminada:

—Vamos a ver si son lobos, como dicen, o sólo perros.

Se soltó de ella, ahuecó las manos en torno a la boca y dio unos pasos alrededor mientras gritaba:

—¡Eh! ¡Si hay alguien por ahí que quiera algo conmigo, aquí me tiene!

La voz tonante resonó en las cuatro esquinas, pero sólo respondieron sus ecos fugitivos. Aún esperó el Negro, que recorría con sus ojos la oscuridad, de un extremo a otro de la plaza. Pero al rato, ordenó a Martín:

—Venga, empieza con los cohetes. A ver si así se dan cuenta de que estoy aquí.

Martín cumplió la orden inmediatamente y partió el primer cohete. A su luz, distinguió Luciano unos bultos junto al tronco del nogal. Corrió hacia allí y, a favor de un nuevo relámpago de pólvora, reconoció a los músicos.

—¡Qué gandules! — exclamó entre dientes. Les dio con el pie y les gritó —: ¡Arriba! ¡Vamos, vamos!

Los bultos se removieron perezosamente mientras Luciano seguía gritándoles:

—¡Les he pagado para tocar hasta que no se tengan! ¡Vamos, ño!

El Negro estaba furioso. Las ráfagas de luz de los cohetes pasaban por sus ojos y parecía que fuesen sus ojos los que chisporroteaban. Tenía cerrados los puños y, a cada palabra, hundía el tacón del zapato en el suelo.

—¡Rápido! ¡Rápido he dicho!

Los músicos no se atrevieron a chistar y se levantaron. Alguno se tambaleaba, pero la violencia de la actitud y del tono de aquel hombre les sacudía con tal fuerza que hasta el más obnubilado fue a colocarse a su sitio sin necesidad de que le ayudasen. Y, cuando ya estuvieron situados en el lugar propicio y dispuestos a empezar, el más caracterizado de entre ellos preguntó tímidamente:

—¿Qué quiere que toquemos?

Luciano miraba a los balcones y a las puertas, cerrados. Luego, sus ojos fueron a parar a la figura de su mujer, sola enmedio de la plaza, encogida en su propia sombra y en cuyo semblante dejaban ver las intermitentes culebrinas de luz una ansiedad horrible. Y contestó, ya sin violencia en la voz:

—Algo que se pueda bailar.

Tras un previo carraspeo de los dulzaineros, saltaron, por entre las tinieblas y los parpadeos lúcidos de la pólvora, las primeras notas desacordes de un viejo vals. Luciano corrió hacia su mujer y entonces pudieron mirarse en uno de aquellos latidos fulgurantes de los cohetes.

—¿Quieres que bailemos? — dijo él dulcemente.

Ella, por toda respuesta, se echó en sus brazos. Sólo después de los primeros movimientos de baile contestó:

—Yo hago lo que quieras con tal de que no te separes de mí.

Y entonces, con intervalos de vivísima luz y de oscuridad absoluta, entre bocanadas rojas y negras, Martín y los músicos fueron testigos de aquella increíble danza de los dos amantes en la noche de sus nupcias. Ella reclinaba la cabeza en el hombro de él. Y él, abombado el ancho pecho, le hundía golosamente la barbilla en la cabellera.

—Seguro que nos están mirando desde las ventanas y desde los balcones — murmuró él, que sudaba a pesar del fresco vientecillo de la noche.

—Mejor. Como si nos quiere mirar el mundo entero — dijo ella, que tiritaba a pesar del calor que despedía el cuerpo del hombre.

Los músicos tocaban medio dormidos aún y tal vez no supieran decir nunca si el recuerdo de aquel baile de una sola pareja en la plaza a oscuras del pueblo, se debía a la realidad o al delirio del vino. Y Martín, que no se tomaba más descanso que el de soplar, alguna que otra vez, la mecha del chisquero para avivar su lumbre, quizás tuviera luego que repetirse, como quien aprende una lección de memoria, que aquella fantástica escena no fue una alucinación.

Los músicos repitieron la pieza con más armonía y con mayor brío porque se les iba calentando la boca. Sin embargo, cuanto más perfecta, más irreal sonaba la música. En el centro de la plaza chocaban sus ecos, que huían después hacia la mudez del campo por los rompientes de las esquinas.

De pronto, Martín dejó de tirar cohetes y Luciano, tras unos momentos de espera, se detuvo para preguntarle:

—¿Qué pasa ahora?

Martín ya se dirigía hacia la pareja.

—Que ya no me quedan más que seis o siete. ¿Los tiro también?

Iluminada, adelantándose a su marido, dijo:

—Podríamos irnos ya. Allí nos estarán esperando.

—Bueno — accedió el Negro —. Para demostración ya es bastante, pero desde aquí nos vamos para nuestra casa. Allí no harían más que preguntarnos y otra vez a lo mismo. Además, ya debe ser muy tarde. ¿No estás cansada?

—Mucho — contestó ella suspirando —. Pero se van a asustar si no volvemos, Luciano.

—No te dé apuro por eso, mujer. Martín volverá para decirles que ya estamos en casa.

Iluminada no replicó ya y se cogió otra vez fuertemente al brazo de su marido.

—Dile a los músicos que nos sigan, Martín — ordenó Luciano.

Y echaron a andar hacia la calle principal. Al iniciar su cuesta arriba y después que Martín hubo lanzado un cohete, Luciano le rogó:

—Ponte al lado de Iluminada para que ella vaya entre los dos.

Los seguían los músicos tocando un pasacalle cuya alegría contrastaba con el sombrío ceño de las casas sin luz y hostilmente cerradas. El repiqueteo de los tamboriles corría por delante de ellos como un tropel de gozquezuelos juguetones, y las dulzainas dejaban atrás una polvareda de fiesta que iba a filtrarse por debajo de los postigos herméticos.

—Estará toda la gente levantada aún, pero nadie se atreve a asomarse — dijo Luciano.

—Hombre, claro. Y de seguro que nos estarán espiando por detrás de los cristales — afirmó gravemente Martín, y lanzó otro cohete con rabia.

Cuando iban por la mitad de la cuesta, a cuyo final se divisaba el negro muro del bosque, volvió a decir Luciano:

—No se les ve por ninguna parte. Tanto hablar y hablar...

Martín meneó la cabeza.

—Pues no se confíe de todas maneras, señor Luciano.

—No es que me confíe, pero es que ahora, si quieren algo, tendrán que venir a buscarme a mi casa y allí...

—Pero usted no se confíe...

—Ya sé que son ladinos, pero que se anden con ojo ellos también...

Iluminada suspiró y los dos hombres callaron. Martín prendió el último cohete, que era de los de luz, y en el aire se desgajó un sauce fantasmagórico que lloraba oros, verdes y púrpuras. Entonces pudieron ver, con toda claridad, la casa de Luciano, al borde de los pinos.

Pronto coronaron la cuesta. Allí terminaba la calle y, a unos cien metros, se alzaba la casa nueva de Luciano, sola, rodeada de una tapia a medio construir. El edificio era de dos plantas, con techo en punta, cubierto éste de tejas árabes multicolores que en la noche brillaban con reflejos metálicos. La palidez de las estrellas y del alto cielo reverberaba en el frontispicio. Éste constaba, en la planta superior, de dos ventanas, con un ancho balcón enmedio. En la inferior, se abrían otras dos ventanas laterales y, en su centro, una marquesina apoyada en dos columnas sombreaba la entrada principal.

Se detuvieron a contemplarla y, luego, Luciano, se volvió a los músicos y les hizo una seña para que dejaran de tocar. Ellos obedecieron al instante y el agrio tonillo de las dulzainas y el repiqueteo de los tamboriles se perdieron en el aterciopelado silencio de los campos. Los dulzaineros sudaban y jadeaban.

—¡Vaya tocata! — murmuró uno de ellos, resoplando fatigosamente.

Luciano echó mano al bolsillo del pantalón y sacó unos billetes.

—Vaya — les dijo —. Para que se conviden.

—¡Gracias, señor Luciano! — dijo el dulzainero al cogerlos —. Yo y estos estamos a lo que mande. Antes fue que nos quedamos solos y aprovechamos la ocasión para echar un traguejo, pero sin mala idea.

—Ya lo comprendo, hombre — replicó Luciano, sonriendo —. Ahora ya pueden irse. Y usted también, Martín.

—Les acompañaremos hasta la puerta — replicó él.

—No, gracias. Preferimos llegar solos, ¿eh, Ilu?

Iluminada le miró, pero no dijo nada y se estrechó aún más contra él. Martín se encogió de hombros y le advirtió:

—Comprendo, pero no se confíe, señor Luciano. ¡Hágame caso!

El Negro le estrechó la mano efusivamente y, después, le dijo:

—Encárgate de que el coche esté aquí mañana a las diez en punto, ¿eh?

—Descuide. Y que pasen muy buena noche. ¡De veras! — y se sonrió.

—¡Gracias, hombre!

Luciano dio seguidamente la mano a los músicos mientras Iluminada hablaba con Martín:

—Dígale a mis padres y a todos que hemos llegado a casa sin novedad. Que duerman tranquilos.

Martín asintió con la cabeza. Los músicos se despidieron:

—¡Salud y suerte!

Pronto Martín y los músicos entraron en la sombra de la calle y no quedó de ellos más que el rumor de sus pasos y de sus voces apagadas.

Iluminada estaba estremecida y miraba con temor los oscuros confines del campo. El Negro la abrazó, incrustándola casi en su propio costado. Andaban así, como una sola sombra, sobre un mismo movimiento lento y desigual. Y preferían callar las palabras difíciles del primer contacto, libres de fiscalizaciones y mezquindades, y respirar al unísono, y sentirse mutuamente.

Al llegar al hueco de la tapia, donde debería alzarse después la verja de hierro, hicieron alto, quizás atraídos instintivamente por la belleza misteriosa e inquietante de cuanto les rodeaba. La noche era allí un río de perfumes ásperos que bajaba del monte. Bajo el silencio y la oscuridad corría, sin embargo, ese temblor vital, tan sutil, de las infinitas nupcias que se estarían celebrando en el sueño aparente de la naturaleza. Un pálpito de angustias eróticas, un entrecortado aliento de posesión genésica se sentían sobre la piel como la caricia de un aire. Y a Luciano y a Iluminada se les llenó el pecho de aquellos efluvios turbadores.

—Vamos — dijo él con voz opaca.

Ella se dejó llevar y penetraron en el extenso cercado, aún baldío, donde sólo se veían algunos pinos jóvenes.

—Éste será nuestro jardín — dijo Luciano, dominando su voz —. Te aseguro que no habrá otro igual en todo por aquí — y, mientras, recorría con sus agudos ojos todo el ámbito del futuro jardín, registrando minuciosamente sus sombras.

Bajo la marquesina de la entrada principal, las tinieblas tenían un aspecto casi sólido. Luciano llevó a su mujer hacia allá, pero apenas puso el pie en el primer escalón de la pequeña terraza, vibró todo él de pronto y exclamó:

—¡Dios, han tapiado la puerta!

Y de un salto, llevando en volandas a su mujer, Luciano salvó los dos escalones, llegó junto al muro y palpó el lienzo de yeso y ladrillos con que habían cegado el hueco de la puerta.

—Está chorreando todavía —dijo—. Me parece que Lucio, Felipón y Goyo no han andado muy lejos de esto... ¡Zainos!

Iluminada se había arrimado a una de las columnas y se retorcía silenciosamente las manos.

—¿Y qué vamos a hacer ahora? —preguntó tímidamente.

—¿Que qué vamos a hacer? Ahora lo verás.

Y el Negro dio un paso atrás, levantó un pie y descargó contra el tabique una tremenda patada. El tabique se quebró al golpe, pero Luciano repitió la acción varias veces y acabó la obra destructora a manotazos.

Libre ya la entrada, el Negro se sacudió las manos. Respiraba poderosamente y le brillaban los dientes, todavía apretados. Pero al mirar a su mujer, que le contemplaba con los ojos llenos de admiración, ya sonreía. Ella también sonrió y dijo quedamente:

—¡Cuánta fuerza tienes!

Y quiso pasar adentro, pero él la contuvo:

—Espera.

El zaguán estaba a oscuras y Luciano tacteó en la pared para dar la luz. No había nadie, no se oía ningún ruido sospechoso. Entonces el Negro volvió a salir y cogió a su mujer en brazos.

—Es que quiero que entres por el aire — le murmuró al oído.

Una vez dentro, la posó en el suelo y cerró la puerta. Después corrió a encender las luces de todas las habitaciones de la planta, desparramándose por toda ella una alegría insólita y bienoliente.

Ilu seguía todos los rápidos movimientos de Luciano e iba de sorpresa en sorpresa y, al echar una ojeada a las habitaciones, sus palabras eran siempre las mismas:

—¡Qué hermosura, Dios mío!

Sólo se detuvieron en el comedor porque Luciano quiso poner en hora el reloj de esfera dorada, encerrado en la larga caja de madera oscura.

—Tiene dada toda la cuerda, igual que el de la sala que ahora verás, pero no he querido ponerle en hora hasta que tú entrases en la casa — le explicó luego de haber movido las manillas del gran reloj de acuerdo con el suyo de bolsillo —. ¡Justo a las doce y diez de la noche!

Mientras subían la escalera, habló él de nuevo:

—He dejado todas las luces encendidas porque así la casa está más alegre y la puede ver mejor todo el que quiera mirarla desde el pueblo. — Se detuvo y señaló el zaguán y la amplia escalinata —. El zaguán es más grande que el de la casa del notario que iba a mi pueblo y de que tanto te he hablado. Y la escalera es más ancha y tiene mejor porte...

Ya en el último escalón, volvió sobre el mismo tema obsesionante:

—La casa del notario era la mejor que yo había visto en mi vida y he querido que ésta fuese todavía mejor..., para ti.

Ella protestó débilmente:

—Es demasiado para mí. Yo...

Pero él no la dejó concluir. La estrechó fuertemente contra su corazón y dijo:

—Calla, que a mí todo me parece poco para mi mujer.

Fueron a la sala donde Luciano puso en hora el otro reloj, encerrado en una campana de cristal. Después, señaló las butacas.

—Son mejores que las que limpiaba mi madre en casa del notario... —Sonrió y, volviéndose hacia el pupitre, continuó diciendo—: Ahí, en ese cajón, están los papeles que te he hecho de mi puño y letra. Nos los llevaremos mañana para que los formalice un notario. Me hubiera gustado que fuese aquel de mi pueblo, pero ya murió... Bueno, iremos a otro. Y entre los papeles hay un cheque en blanco firmado por mí para que, en cualquier momento, puedas sacar del Banco el dinero que quieras...

—Luciano —le interrumpió ella.

Él se calló y se acercó a ella.

—Tengo que decirte una cosa.

Se miraron a los ojos y él preguntó:

—¿Qué?

A los ojos de Iluminada asomaron las lágrimas y Luciano se estremeció.

—¿Tú crees también que me he casado contigo por el dinero?

Aquella pregunta angustiosa desconcertó al Negro.

—¿Qué estás diciendo? —preguntó él, a su vez, mientras se serenaba.

—¿Que me he vendido por tu dinero?

—Mujer, qué cosas se te ocurren. Yo no tengo dinero para tanto.

—¡Dime la verdad! —exigió ella mientras seguía ansiosamente los movimientos de las pupilas del hombre.

—De pensar eso, no me hubiera casado contigo, Iluminada —contestó con voz grave—. Aún tengo mucho orgullo de hombre.

Aquellas palabras, dichas en tono serio, devolvieron la alegría a los ojos húmedos de la mujer. Entonces, en un arranque de vehemencia incontenible, se aupó, cogiéndole de las solapas, y le quemó el rostro con sus ardorosas palabras:

—Pero yo quiero que lo sepas de una vez: ¡yo me he casado contigo porque eres el más hombre y el más guapo de todos! ¡El más hombre de todos los que he visto en mi vida!

Se quedó casi sin aliento al terminar, pero antes de que él, que la miraba atónito, pudiese abrir la boca, ella tuvo ímpetu suficiente para abrazársele al cuello y estamparle un apasionado beso en los labios. Luego, el beso fue dúplice, y, al acabarse, los dos temblaban y se miraban con los ojos velados.

—Nunca me habías dicho tanto — murmuró él con la voz empañada.

—Es que no podía. Te hubiera parecido falso. Ahora soy tu mujer y puedo. Además — hizo una pausa para respirar libremente —, muchas veces no sabemos las mujeres cómo hacer... Y yo, entonces, menos que otra cualquiera.

—¿Y por qué?

—Tú lo sabes. Tenía que callar porque no podía demostrártelo. Pero ahora sí te lo podré demostrar. ¡Isabelo me dejó porque yo nunca le dejé tocarme el pelo de la ropa siquiera!

Los ojos de Luciano estaban ya turbados como el agua de anís, y ella se había quedado ronca de sangre. Él la empujó y salieron abrazados, tropezándose con los muebles... Enfrente estaba la alcoba y el Negro levantó el pestillo de la puerta de un zarpazo. Pero, al franquearla, se detuvo, alarmado. Los cortinajes se movían y sonaba un sordo ronquido en las sombras. Alargó rápidamente la mano y, al encenderse la luz, gritó Iluminada. Las vidrieras, abiertas, mostraban roto uno de los cristales, y, cruzado sobre el lecho nupcial, el Escaso dormía su borrachera, con los calzones caídos hasta las rodillas.

—¡Dios! — bramó el Negro, pálido de ira.

Un viejo instinto le hizo recorrer toda la habitación con la mirada.

—A estos perros... — mumuró.

Corrió hacia la cabecera del lecho y empuñó el rifle.

—¡Luciano, por Dios! — gimió Iluminada.

Pero Luciano impulsó la palanca del rifle y se oyó el paso de la bala a la recámara mientras se dirigía al cuarto de baño. Dio la luz en él y entró. Salió en seguida y, entonces, abrió de par en par las puertas del armario empotrado.

Iluminada, sobrecogida y confusa, le vio meter el cañón del rifle entre aquellas ropas blancas como un cazador enloquecido por la proximidad de la pieza anhelosamente perseguida. Sin embargo, el Negro hubo de convencerse de que allí no se escondía nadie.

—No ha tenido ninguno valor para quedarse.

Lo dijo con marcado desprecio al tiempo de volverse a mirar a su mujer. Respiraba por la nariz y temblaba de pura codicia de cazador.

—¿Lo ves, Iluminada? Son unos perros.

Iluminada, por el contrario, exteriorizó un profundo alivio al ver frustrada la temible lucha a vida o muerte que por unos instantes temiera.

El Negro, con los dientes aún rechinantes, cerró las vidrieras y corrió las pesadas cortinas. Inoportunamente, el Escaso lanzó un gruñido más fuerte, y el Negro se volvió rápido.

—Lo que es a este le arreglo yo en un dos por tres — dijo con mal disimulada rabia.

Lo primero que hizo fue subirle los pantalones y abrocharle el cinturón. Después lo cogió por los pelos y por la pechera de la camisa y lo puso en pie.

Iluminada se cogió a un brazo de su marido.

—No irás a hacerle nada, ¿verdad? El pobre no tiene la culpa. Está borracho y se han aprovechado de él.

El Escaso resoplaba y pendía de las manos del Negro como un pelele.

—Ya sé que no tiene la culpa, pero lo voy a espabilar.

Ella no se opuso ya a que el Negro lo arrastrara hasta el cuarto de baño. Mientras, pudo Iluminada borrar del lecho las huellas del borracho. Se oyó el correr del agua y, seguidamente, los bufidos y los ahogos del barbero.

—A ver si así no te emborrachas más, idiota — decía Luciano.

Ya había alisado la colcha y contemplaba, deslumbrada, la rica disposición de la alcoba. Sus ojos acariciaron objeto por objeto hasta que fueron atraídos irresistiblemente por las ropas descubiertas en el armario empotrado. La curiosidad la empujó allí y, sin poderse contener, hundió ambas manos en las sedas y en los encajes.

—Pero, ¿quién te ha traído aquí? — preguntaba Luciano al barbero.

Iluminada acariciaba las prendas que parecían estremecerse de voluptuosidad como ella. Se le escurrían entre los dedos, volvía a cogerlas, las sacaba a la luz, tornaba a acariciarlas...

Sonó agua vertida sobre el pavimento del cuarto de baño y apareció el barbero sostenido todavía por la mano fuerte del Negro. El Escaso tenía los ojos turbios aún de soñarrera y de asombro. Los pelos se le habían quedado pegados a la frente. Escupía agua por boca y nariz y se tambaleaba.

—Aún no le he podido sacar quién le trajo aquí — dijo Luciano zarandeándole.

Iluminada miraba a su marido con uno de aquellos blancos camisones de encaje en la mano.

—Ese es el que más me gusta — dijo él, y arrastró al Escaso fuera de la alcoba.

Luciano bajó la escalera teniendo que sostener al barbero por los hombros para evitar que rodase por ella y se descalabrara. Cuando salieron al cercado, le pasó por los ojos uno de sus poderosos puños y le dijo:

—Si fueras un hombre entero, te rompía la cara ahora mismo para que tuvieras también un recuerdo de esta noche. Pero no eres más que un escaso, ¡bah!

No fue violento el empujón, pero el Escaso cayó al suelo y se quejó. Mas el Negro se había desentendido de él y recorría el cercado de un extremo a otro, registrando detenidamente las sombras de las paredes y de los pinos. Nada sospechoso vio. El viento había parado y no se oía ni el temblor de una hoja. La noche estaba tan callada y tan absorta en sí misma, que daba una sensación de absoluta soledad y de vacío, como si ni el tiempo ni la vida existieran. Hasta el campo parecía no respirar ya, anonadado, presa del colapso de las altas horas.

El Negro se quedó quieto, cobijado en una sombra, e hizo intención de encender un cigarrillo, pero desistió en seguida y se guardó la petaca. Así estuvo un largo rato, atento, avizorante, como un animal del bosque al acecho. Hasta que un ruido sordo llamó su atención. Pero era el Escaso, que se arrastraba a gatas y gimiendo.

Se dirigió de nuevo a su casa y, al paso, se tropezó con el barbero, que había logrado sentarse en el primer escalón de la terraza y que gemía doblado sobre las rodillas.

—A ver si el fresco te espabila, Escaso —le dijo, y entró en la casa sin enterarse de lo que el otro masculló torpemente.

Cerró la puerta y subió las escaleras de dos en dos y, al penetrar en la alcoba, vio, con sorpresa, que estaba a oscuras.

—¡Iluminada! —clamó, y su voz denotaba ansiedad.

—No enciendas —se oyó decir a ella—, que ya estoy en la cama.

Entonces empezó a desnudarse rápidamente, torpemente, tirando las prendas al suelo, sin hablar, respirando celo.

Corrió después al lecho y, en la oscuridad, su cuerpo parecía llenar toda la habitación.

Y, cuando quiso abrazar a su mujer, se encendió la lámpara de la mesita de noche. Por entre la desgarrada espuma de encajes aparecieron a su vista los dos hermosos senos de color de luna, inmaculados.

—Es para que veas si tienen lunares — dijo quedamente ella con los ojos cerrados.

Y se apagó la luz cuando el júbilo del hombre empezaba a llenar la oscuridad de voz.

II

SANTOS y Bastián llegaron jadeantes a la paridera. Al entrar en ella, se interrumpieron las conversaciones de los mozos, que fumaban y bebían vino de las botas, y la atención general se concentró en ellos. Margarito salió también del rincón donde había permanecido hasta entonces, aislado en un hosco mutismo, para preguntarles:

—¿Qué? ¿Qué es lo que ha pasado para tanto *cuete*?

—Espera, ño, a que echemos un trago, que venimos secos — contestó Bastián con entrecortado aliento.

Le cogió la bota a uno y la empinó. Siguió un silencio en que sólo se oía el gorgoteo del vino en la garganta seca del mozo. La paridera estaba alumbrada tan sólo por dos candiles que destilaban gruesas gotas de negro aceite y que apestaban con sus humos. Los candiles se movían con frecuencia y, entonces, lamían a lengüetazos la oscuridad circundante. Los hombres, bajo tan sórdida luz, tenían siempre parte de rostro en sombras y vellones negros suspendidos entre las cejas y sobre los labios.

Bastián se limpió la boca con el revés de la mano y pasó el pellejo a su primo Santos. Todos los demás le miraban de hito en hito. El Pelocabra lo tenía atrapado en la pinza de sus ojos fulgurantes.

—¡Que esta noche va a ser la descomposición! — exclamó al fin Bastián y siguió un coro de carcajadas y exclamaciones.

Margarito, de un salto, se plantó delante de él, tan bruscamente que Bastián hubo de dar un paso atrás.

—¡Sandiola!

—Déjate de rodeos — gruñó Pelocabra —. ¿Qué es lo que ha pasado en el pueblo para que sonara la música y para que tirasen *cuetes*? Eso es lo que queremos saber, ño.

—Qué va a pasar. Que el Negro los tiene muy bien puestos, ¿eh, tú?

Santos, que ya había bebido también, contestó:

—Que si los tiene bien puestos... Verás...

—Bueno, vamos por partes — le interrumpió Bastián.

—Pero, ¿lo dices o no? — gritó un impaciente.

—Por partes — volvió a decir Bastián, tratando de despejar el corro con las manos.

El bailoteo de la luz de los candiles tiznaba aquellos rostros enrojecidos por el vino y la excitación. Ya no se distinguían las grotescas cabelleras de los invitados a la boda porque todos tenían las pelambres revueltas. En todos los ojos se leía la misma expresión de instintos relinchantes, y en todas las bocas había dejado el alcohol su huella de estupidez característica. Sólo Margarito conservaba, intactos, sus rasgos fisonómicos. Sólo él estaba tenso y lúcido. Sus ojos, como siempre, abrasaban, y por la frente se le iba y se le venía una tormenta pertinaz. Sobre el conjunto, y enredándose en la pringosa luz de las mechas, se extendía un entresijo de espirales de humo de tabaco. El olor de los alientos sucios se mezclaba al de los detritus del ganado, y un aire picante escocía los párpados y las gargantas.

—Por partes — y Bastián miraba atentamente a su alrededor. Después que hubo examinado el círculo de rostros expectantes y de haberse empinado para poder escudriñar hasta donde alcanzaba la luz, preguntó a Margarito —: ¿Y el Isabelo? ¿Dónde anda el primo Isabelo?

Pelocabra se contrajo y hasta contuvo la respiración.

—¡Deja al Isabelo ahora! — respondió secamente y tragó saliva.

—¿Que deje al Isabelo? — repitió, asombrado, Bastián.

—Que no viene, ño — le contestó el Bomba.

—¿Cómo que no viene? — y Santos abrió exageradamente los ojos y la boca.

—Pero... — y Bastián no salía de su asombro.

—Que no viene y ya está — dijo Margarito como si mordiera.

Felipón intervino para aclarar:

—Nada, que el Isabelo está hecho unas gachas. Para mí que se ha amariconado en la capital. Vamos, me parece.

Margarito ni siquiera miró a Felipón aunque se le vio palidecer y temblar. Y mantuvo los ojos clavados en los perplejos ojos de su primo Bastián.

—Entonces... — murmuró éste.

—Si es igual — le interrumpió Margarito —. ¿Es que no estoy yo aquí?

Hubo una pausa, que interrumpió uno de los mozos para decir:

—Además, que no es cuestión sólo del Isabelo. Lo es de todos. Allá él si se echa para atrás.

—Eso mismo — añadió el Bomba —. Esto es cosa del pueblo. Que no se diga que nos vienen mejor las sayas que los pantalones... ¡Y el que no se atreva, que se quede!

—¡No hay más! — exclamó Goyo —. La honra del pueblo está por encima de todo. Si no queremos que nos meen cuando vayamos a Romanzuelo, tenemos que dejar el mingo bien puesto esta noche. ¡Y no hay más!

—Y eso que nosotros — apuntó Lucio — trabajamos para el Negro y nos paga bien... Todos lo hemos decidido, menos el Santos y tú. Así que...

Bastián y Santos cruzaron una mirada, pero antes de que pudieran dar su opinión, Margarito les preguntó:

—¿Qué: os echáis para atrás o no?

Bastián apretó los dientes y, después de mirar a Pelocabra de hito en hito, como se miran los gallos de pelea, le gritó a la cara:

—¡El hijo de mi madre no se echa para atrás aunque esta noche se junte la tierra con el cielo!

—¡Ni a mí se me caen tampoco los pantalones por eso! — y Santos avanzó hacia Pelocabra en la misma actitud.

Entonces Margarito quiso sonreír y no pudo, pero, en compensación, les dio con el puño en la barriga diciendo:

—¡Machos!

Los demás clamaron, levantando los puños y dándose sonoros golpes en las espaldas.

—Toma, echa otro trago y sigue con tu retahila — dijo uno, alargando la bota a Bastián.

Éste no se lo hizo repetir y bebió, haciendo que el chorro se le estrellase en los dientes. Luego, dijo:

—¡Qué bueno está, chachos!

—Hala, Bastián, hombre, acaba de decirnos lo que pasó — le instó Margarito en tono más condescendiente.

Bastián chascó la lengua y prosiguió:

—Pues a lo que íbamos... Después que dejamos al Escaso tirado en la cama... Bueno, no hicimos ningún estropicio más que romper el cristal para poder abrir la ventana. Que no se diga luego que ni yo ni el Santos hemos hecho ninguna barrabasada allí. Ni tan siquiera nos paramos a echar un vistazo a todo aquello...

—¡A ver! Estaba a oscuras y no podíamos encender la luz... — aclaró Santos.

—Eso es — continuó diciendo Bastián —. Pues después de dejar al Escaso, nos salimos a preparar los ladrillos y el yeso. Y en eso estábamos cuando llegaron éstos — y señaló a Felipón, a Lucio y a Goyo —. Les ayudamos y, en un tris, quedó tapiada la puerta. Pero éstos se vinieron y nosotros nos escondimos detrás de la tapia, por la parte del monte. Pero, anda tú, al poco rato sentimos los *cuetes* y la música en la plaza. Yo y éste no sabíamos qué hacer: si quedarnos, si venirnos, si bajar a la plaza...

—Pues a nosotros nos cogió por el camino y tampoco sabíamos qué hacer — puntualizó Felipón.

—Ya verás, ya verás, Felipón. Lo que es a vosotros tres no os arriendo las ganancias como el Negro se huela que habéis estado haciendo el tabique de la puerta...

—¡Bah! — fanfarroneó Goyo —. No parece sino que el Negro sea un sacamantecas.

—Es que rompió la pared de dos patadas — intervino Santos.

—¡Copetín! — exclamó Felipón.

—Por partes, hombre — y Bastián volvió a tomar la palabra —. Seguimos escondidos y, al rato, la música se fue acercando y lo mismo los *cuetes*. Eran el Negro, la Ilu, Martín y los chifladores. Y nadie más.

—¿Y el acompañamiento? — le preguntaron.

—¡Yo qué sé! Se quedarían cenando, se me figura, y se me figura también que el Negro lo que ha querido demostrar es que no le tiene miedo a nadie. Pues mira tú la que se forma si llegamos a estar todos nosotros por allá...

—¿Y quién se lo podía barruntar? — preguntóle bruscamente Margarito.

—Eso mismo digo yo.

—Bueno, sigue.

—Pues después de romper el tabique de dos patadas, cogió a la Ilu en brazos y la entró en la casa...

Los mozos se miraron, relamiéndose, y uno dijo:

—¡Vaya mantecado fino que se va a comer el Negro!

—¡Chacho!

—¡Callaros!

Y prosiguió Bastián:

—Teníamos que saber lo que le iba a pasar al Escaso y aguantamos detrás de la tapia. ¡Chachos! A eso de la media hora, poco más o menos, apareció el Negro llevando a rastras al Escaso. Le dice no sé qué y, ¡zas!, lo tira al suelo. El costalazo fue medio regular. Menos mal que estaba borracho. Bueno, pues el Negro se dio una vuelta por el cercado. Venteaba como un lobo. Seguro que se barruntaba que andaba alguien por allí... Trae, tú —y le quitó a uno la bota.

Mientras bebía Bastián, preguntó Felipón a Santos:

—¿Y qué más pasó?

—¡Hay qué ño! ¿Y qué más quieres? —contestó Santos—. Pues que luego se metió para adentro. ¿Es que se iba a estar allí toda la noche con lo que le esperaba arriba? Tú, ¿qué hubieras hecho, majo?

—¿Y hace mucho rato de eso? —preguntó entonces Margarito.

—El justo para poder haber dado ya más de cuatro brincos en el colchón.

Sonó un coro de carcajadas y Margarito palideció.

—Total: que vamos a estropearle la función al Negro, ¿no es eso? —preguntó un muchachote que, al sonreír, mostraba una boca grande de cuatro labios.

—¡A ver! Y a que se le atragante el mantecado —contestó el Bomba.

Pelocabra se había salido del corro entre tanto y adentrado en las sombras del rincón de la paridera donde se apilaban los cencerros. Cuando mayor era la algarabía de los mozos solazándose con las chuscadas que se les ocurrían a propósito de la boda del Negro, dio una formidable patada al montón. Los cencerros y las esquilas rodaron con estrépito y los mozos se callaron para mirar allí.

—¡Vamos al avío! —sonó la voz sombría de Pelocabra—. ¡Que sois capaces de estaros toda la noche graznando como urracas!

Los mozos, sorprendidos, al pronto, rompieron otra vez en grandes voces, animándose los unos a los otros:

—¡Al avío, al avío, zagales!

—¡Esta noche va a ser la descomposición!

—¡Hala, hala!

Mientras unos se lanzaban a coger los cencerros, otros empezaron a cantar a coro:

La mujer, cuando se casa,
lo primero que pregunta

—¡Eso, luego! — les gritaron.

—¡Venga, coger cencerros!

Sin embargo siguieron cantando y los dos últimos versos de la cuarteta provocaron carcajadas que les hacían retorcerse. Y, riendo todavía, corrieron también a proveerse de los elementos de ruido para la cencerrada. Ya Margarito se había echado al hombro el saco donde bullían los gatos vivos y se dirigía a la puerta de la paridera.

—¿Qué crees tú que hará el Negro? — preguntaba uno a Bastián.

El mozo hizo un gesto vago y contestó:

—Pues, a lo mejor, nada, pero, a lo mejor...

—Somos mucho personal, hombre.

—Pues por eso: nada, pero, a lo mejor...

—¡Quiá! No tendrá hígados para tanto.

—A lo mejor.

—Pues lo majaremos, mira tú.

—¡A saber!

Margarito colocó su saco sobre un burro. Sobre otro asno cargaron un bulto igual, con perros dentro, y, en el tercero, dos tinajas desfondadas que habían convertido en enormes zambombas. Y cada mozo salió llevando un par de cencerros o esquilones. El cuarto borrico serviría para transportar los haces de las tiras de los pellejos de aceite.

La noche, solemne y silenciosa, les sobrecogió un poco.

—Mirar la casa qué bien se ve — dijo Felipón, señalando con el índice la casa nueva de Luciano que, efectivamente, se destacaba en el límite del pinar, envuelta en un levísimo resplandor.

Los separaba de ella como medio kilómetro y tenían que hacer todo el camino bordeando el bosque. Cuando ya estaban todos dispuestos para la marcha, Margarito, blandiendo ambos puños, dijo a todos:

—¡El que se eche para atrás, es un capón!

—¡Venga, todos para adelante! Y, si no, no haberse comprometido — añadió el Bomba en el mismo tono.

—¿Y quién es el que habla de echarse para atrás? — preguntó Goyo —. Luego veremos si el que más habla es el que menos hace.

—Luego lo veremos — gruñó Pelocabra.

Y aquel grupo, compacto en un principio, se fue adelgazando sobre la marcha. Al cabo de un corto silencio, dijo uno:

—¡Me apuesto a que el Negro se ha comido ya el mantecado!

Hubo risas ahogadas y Margarito se estremeció como si le hubieran pinchado en la espalda.

* * *

Iluminada se había subido el embozo hasta la barbilla. Luciano, vistiendo tan solo el calzón del pijama, puso sobre el tocador las dos copas vacías que aún exhalaban un ligero aroma de jerez. Así, de espaldas, mostraba a la mujer el amplio torso de tez morena, con relieve de músculos trenzados, que se le escurría por la cintura. Se volvió y, entonces, quedó a la vista de Iluminada el tórax del hombre, sombreado por una leve maraña de vellos entre los que algunos blanqueaban.

Luciano, sonriente, avanzó hacia el lecho. Se sentó luego en su borde, clavó los puños en el colchón y se quedó mirando a su mujer en silencio. Iluminada entornó los párpados, como abrumada por aquel torrente de mudas caricias que vertían sobre ella los ojos de su marido.

—Estoy muy orgulloso de ser hombre — dijo Luciano.

Ella abrió los ojos y le sonrió, con miel en los labios.

—Y yo, de ser mujer — y volvió a entornarlos.

—Sólo una cosa me falta ya, Ilu.

Tornó ella a abrir los ojos y le preguntó:

—¿El qué?

—Tener un hijo. Y eso ya no depende de mí.

Se había quedado serio. Ella también se puso grave. No les alumbraba más que la lamparita de noche, con una luz íntima y misteriosa. Olía a perfumes delicados y a ropas nuevas. Y una atmósfera tibia y palpitante, como una emanación de sus propios cuerpos, les enervaba.

—Lo tendrás también, Luciano. Tendrás un hijo como tú quieres — dijo ella con convicción.

El ensueño le hizo a él velar los ojos.

—¡Qué pequeñico será! — exclamó.

—Sí, pero ya se hará grande — repuso ella sonriendo —. Será de alto y fuerte como tú.

—Lo he deseado toda mi vida y por él vengo luchando... Quiero que sea lo que yo no pude.

—Ya lo verás como sí.

—Si quisiera estudiar, yo le daría la carrera que eligiese. Ya ves: me gustaría que fuese notario.

—¡Quién sabe, hombre!

—Claro que cuando él empiece a ser hombre... — abrió los ojos y sonrió con una vaporosa tristeza —. Bueno, yo empezaré a ser un anciano... Pero tú, tú aún serás hermosa. ¡Ay, si los años no pasaran! No es lo malo morir sino los años que nos agachan...

Ella movió una pierna bajo las sábanas y la restregó suavemente contra el brazo de su marido.

—No pienses en eso ahora. Tendremos más de un hijo, estoy segura. Por mí, todos los que Dios quiera mandarnos. Y yo también me haré vieja, ya verás.

—¡Cinco o seis hijos!

—O más.

Se miraron a los ojos, enardecidos. Después, dijo él:

—Yo te estoy mirando tanto para que te quedes en mis ojos así para siempre.

—Pero no podrá ser, Luciano.

—Se puede lo que se quiere, Ilu.

De pronto, estalló un ruido infernal en la terraza y el Negro, en rápida reacción, apagó la luz de la lamparita. Ella, de un salto, quedó sentada en la cama. Se habían cogido las manos instintivamente y cada uno sintió en las suyas el acelerado palpitar del corazón del otro.

El estruendo consistía en maullidos furiosos de gatos y gruñidos de perros al ataque, mezclados con el estrépito de latas y cencerros arrastrados por la terraza. Se adivinaba una pelea feroz entre animales, como si estuvieran desollándose vivos a dentelladas.

El Negro buscó a tientas el rifle y, cuando lo hubo empuñado, corrió a las vidrieras. A tirones descorrió los cortinajes y subió las persianas, pero ya no pudo mirar lo que ocurría en la terraza porque, frente por frente, en las inmediaciones del pinar, a menos de cien metros de distancia, vio una serie de antorchas llameantes, cuyos rojos resplandores le deslumbraron. Al mismo tiempo se dejaron oír los cencerros, las zambombas y los gritos.

Luciano acarició el rifle, por cuyo metal corría un leve escalofrío.

—No te sofoques. Es la cencerrada que nos tenían que dar — oyó Luciano que le decía Iluminada cogiéndole de un brazo. Ella tiritaba, pero añadió —: A mí no me importa.

—Mientras no se acerquen demasiado... — murmuró él entre dientes, mordiendo las palabras.

—No se atreverán a tanto, ya lo verás.

Él no replicó. Continuaba el cencerreo, horrísono, sobre un fondo de bosque iluminado por las antorchas. Las tiras de pellejo de aceite ardían como teas y tenían que ser renovadas constantemente. Entre el monótono sonar de los cencerros descollaban, como ronquidos paleolíticos, los broncos retemblores de las zambombas.

La atención de Luciano e Iluminada, que lo miraban todo con ojos atónitos, fue atraída entonces por el terrible espectáculo que se desarrollaba en el espacio acotado de la terraza. A la luz rojiza de las antorchas se veía un montón informe de animales que se acometían con rabia mortal. Gatos trabados entre sí, y arrastrando latas y cencerros, se defendían de los ataques de un grupo de canes, que mordían con los ojos cerrados y aullando de dolor. Los gatos, tripa arriba, esgrimían sus feroces zarpas, cuyas uñas rasgaban las orejas y los hocicos de los atacantes. Brillaban los afilados dientes de los perros... Y ninguno podía rehuir la pelea. El montón rodaba por el suelo, pero siempre era detenido en sus límites por las barandas de hierro. En el ansia de huir, algunos gatos metían la cabeza por entre los barrotes, pero no podían romper las ligaduras que los ataban a los demás y tenían que desistir, gimiendo y braceando desesperadamente. Otros conseguían ponerse en pie, apoyándose en los hierros, y así ofrecer una más encarnizada resistencia, mas los tirones de sus compañeros los arrastaban una y otra vez al montón. Un odio oscuro y legendario de razas se debatía allí entre la vida y la muerte. La masa de animales corría, se detenía, rodaba... Se presentía el salpicar de la sangre y de las babas rabiosas. El dúo de los chillidos agudos y de los roncos estertores eran el trasunto de las agonías de la selva por la vida y por la especie. De cuando en cuando, un perro levantaba en el aire su presa cogida por los riñones, y la sacudía. Y la víctima expiraba crujiendo y retorciéndose.

Iluminada se tapó los ojos con las manos. Luciano tenía apretados los dientes y sudaba...

Sin duda, obedeciendo a una señal convenida, cesó el ruido de los cencerros y de las zambombas. Sólo quedó en el aire el sordo fragor de los animales en lucha, cada vez más apagada y jadeante. Iluminada se descubrió la cara y miró otra vez hacia el bosque. Entonces se oyeron voces de hombre que preguntaban y respondían con arreglo a un diálogo previamente establecido:

—¿Quién se ha casado?

—El Negro.

—¿Con quién?

—Con Iluminada.

—¿Y qué le ha dado?

—Una criba.

—¿Para qué?

—Para que menée la barriga.

Y otra vez el cencerro, con más furia. Y otra vez el ronquido atronador de las zambombas, con más fuerza también.

—Una de las voces es la de Felipón — dijo Luciano, rechinándole los dientes.

—Qué más da, Luciano. Tenían que darnos la cencerrada. Casándose un viudo, ya se sabe...

—Pues a algunos de esos los he de escarmentar...

Nuevamente se interrumpió el bárbaro concierto para dejar paso a las voces en coro:

—¡Que salga la novia! ¡Que salga la novia!

El sonsonete, acompañado de golpes de zambomba, se repitió varias veces. Luego, fue más explícito:

—¡Que salga la novia en camisa! ¡Que salga la novia en camisa!

Y las voces:

—¡Ilu! ¡Ilu!

—¡Sal, Negro!

Voces delirantes que, en medio de la algazara, parecían relinchos. Poco a poco, sin embargo, el fragor de los cencerros y de las zambombas, en ritmo creciente, apagó las voces.

El Negro había abierto las vidrieras y el clamor de la cencerrada se volcó sobre ellos con un torrente contenido.

—¡Perros! — masculló Luciano y quiso esgrimir el rifle. Pero su mujer se aferró al arma.

—¡Por Dios, Luciano! No te sofoques. Déjalos. Ya se cansarán...

Su voz logró contenerle y entonces la mujer le pasó la mano por la espalda desnuda.

—No haciéndoles caso, acabarán por aburrirse y marcharse. Lo que ellos quisieran, tonto, es que tú salieras.

Pero la caricia de aquella mano, tan suave y tan cálida, le erizaba los vellos.

—¡Qué cobardes! — exclamó él, estremecido.

—Es que están borrachos.

La lucha de los animales, entretanto, se había extinguido. Ambos bandos yacían en los extremos opuestos de la terraza, pero aún se agitaban convulsos.

Había disminuido el número de antorchas porque algunas se extinguieron sin ser renovadas. Era por ello evidente que el afán de hacer ruido dominaba todos los demás.

Sin embargo, una vez más, cesó el estruendo de repente. Y, como si ensayasen una nueva táctica, siguió un silencio absoluto en el bosque. Entonces pudieron oírse los gemidos de dolor y de agonía de los animales que lucharan con tan rabioso anhelo de exterminio.

A Luciano, aquel súbito silencio, le alarmó. Iluminada, por el contrario se sintió más tranquila.

—¿No te lo decía? Puede que se hayan cansado y nos dejen en paz.

Pero el Negro no era de la misma opinión:

—¡Quiá! Esos vuelven. Ya lo verás.

No había terminado de hablar cuando empezó un cencerreo suave y mucho más cercano.

—¿Lo estás viendo? — murmuró Luciano.

Iluminada se estrechó fuertemente contra él en el momento en que rompían a cantar los mozos, con voces roncas y desacordes:

> Te has casado con un viejo
> que se le caen los calzones.
> Llámame si necesitan
> remiendo sus pantalones.

Luciano dio un respingo y ella suplicó:
—¡Por Dios!

Si quieres vivir tranquilo
cuando de casa te marches...

El Negro intentó hacer uso del rifle, pero Iluminada se había agarrado a él con todas sus fuerzas. Y empezó entonces un mudo forcejeo entre los dos mientras seguía la copla:

échale el cepo al tobillo,
que es peligroso tener
una mujer con lunares.

Iluminada gimió de dolor porque su marido, de un fuerte tirón y sin miramiento alguno, le había arrancado el rifle de entre las manos y apuntaba hacia donde sonaba el coro. No obstante, no se dio por vencida y, en última instancia, empujó hacia arriba el cañón. Y el tiro fue así por alto. Su seco estampido calló las voces.

—Asústalos nada más, Luciano — clamó Iluminada entre sollozos.

Al comprobar el efecto del disparo, el Negro accedió:

—Bueno, mujer, no haré más que asustarles — y siguió disparando al aire.

Retumbaron los tiros en el bosque. Y vieron oscilar a las antorchas, como si las acometieran vientos por los cuatro costados, y caer una a una, hasta quedar convertidas en puntos chisporroteantes. Mientras, las cápsulas vacías saltaban entre los pies desnudos de Luciano y de Iluminada.

Después del eco, largo y gemebundo, del último disparo, tornó el silencio a señorearse de los alrededores. Aún se veían las ascuas agonizantes de las antorchas desperdigadas por el bosque. Y en la alcoba nupcial sonó el llanto de la mujer.

—No me llores, por Dios — dijo él con voz acongojada, estrechándola contra su pecho desnudo —. Puede que ahora se hayan ido de verdad, ahora que le han visto los dientes al lobo.

Luciano sentía sobre sus piel las lágrimas calientes de su mujer y fuera empezaron a oírse de nuevo los jadeos y los quejidos de los animales moribundos.

* * *

Isabelo, que dormitaba echado sobre la mesa, se despertó sobresaltado. Aún seguían oyéndose disparos en la lejanía.

—Parecen tiros — dijo la madre, que velaba encogida sobre la silleta.

—¿Tiros? — e Isabelo se restregó los ojos —. Son muchos para ser tiros. Más bien parecen cohetes.

—¡Dios lo quiera!

De repente cesaron y ellos quedaron suspensos hasta que el muchacho dijo:

—Ninguno llevaba armas de fuego, ¿verdad, madre?

—Ay, hijo, cualquiera sabe.

Isabelo, rechazando la mosca de la duda, que revoloteaba en torno a sus sentidos, aseveró:

—Desde luego, tiros de escopeta no han sido.

Después de un silencio, añadió:

—A lo mejor es que ha acabado ahora la fiesta...

—¿No has oído la cencerrada? — preguntóle la madre.

—No.

—Pues yo, sí. Y sonaba bien fuerte.

—Es que me he dormido.

—Ya me he dado cuenta, ya. No sé por qué no te has ido a la cama. Debes estar muy cansado, hijo.

—Algo. Llegué ayer de Sevilla, por la madrugada. Y, a mediodía, ya salí otra vez.

—Pues anda y acuéstate.

—No, madre. Hasta que no vea en qué para todo esto no me voy a la cama.

Sacó la petaca y lio un pitillo torpemente. Sobre la mesa estaban aún la botella del vino y el vaso. Y migas de pan. Isabelo carraspeó.

—¿Y padre, dónde anda?

—En la puerta, esperando.

—Los tres hacemos entonces lo mismo.

—Sí, lo mismo. Yo no he hecho otra cosa en la vida que esperar: primero, a tu padre; luego, a vosotros. Todas las noches.

Isabelo miró a su madre, enternecido.

—Es que madres como usted hay muy pocas en el mundo...

La vieja suspiró:

—¡Ay, hijos, hijos!

—Usted quería hembras. Pues ya ve lo que traen también las hembras.

—Sois los hombres los que lo estropeáis todo.

Isabelo expelió humo de tabaco por las narices y no replicó. La vieja se acurrucó ajustándose la toquilla de negra lana con que se cubría e Isabelo echó mano a la chaqueta doblada sobre el respaldo de la silla. Se hacía sentir el frescor dañino del primer aliento de la madrugada.

—Seguro que eran cohetes — dijo el joven al cabo de un rato —. No se ha oído nada después. No se oyen tampoco los cencerros. Eso es que se ha acabado ya el jaleo y que Margarito está al llegar...

—¡Dios lo quiera!

Isabelo dejó caer la punta del cigarrillo y la aplastó con los pies.

* * *

El alcalde se tiró de la cama como si le hubieran empujado. Los calzoncillos le llegaban hasta los pies y llevaba anudado a la cabeza un pañuelo negro. Sin calzarse, y a trompicones, salió de la alcoba, cruzó el pasillo y fue a llamar a otra puerta:

—¡Maxi! — y dio suavemente con los nudillos.

Como nadie le contestara, la abrió y encendió la luz. La cama de su hijo aparecía intacta y Maximiano meneó la cabeza.

Entonces le gritó su mujer, desde el lecho:

—¿Qué pasa, Maximiano?

Apagó la luz y se subió los calzoncillos.

—Pero, ¿estás sordo, hombre?

Maximiano regresó a la alcoba diciendo:

—Nada, que el chico no ha vuelto todavía, mujer, y voy a tener que ir yo a echarle de comer a las bestias.

—¿Que no ha vuelto el chico?

—No — y ya se ponía los pantalones.

—¡Ay, este hijo!

—Pues si tuvieras seis o siete...

—No sé lo que pasaría... Pero ¿quién le mandará a él meterse en lo que no le importa?

—Calla, mujer, que todos hemos sido jóvenes...

Y Maximiano continuó vistiéndose de prisa.

* * *

Rosa se incorporó bruscamente y llamó a su marido:

—¡José! ¡José!

El maestro quebró un ronquido y abrió los ojos en la oscuridad de la alcoba.

—¿Y qué es lo que pasa ahora? — preguntó, malhumorado.

—Pero, ¿no has oído?

—¿Qué?

—Tiros.

—Tú sueñas.

—No dormía siquiera.

José se incorporó también y escuchó. Pero no pudo oír más que la agitada respiración de Rosa.

—Pues eso es lo que tenías que haber hecho: dormir — dijo al cabo José —. No se oye una mosca. ¿Tú no crees que si hubiera habido tiros estaría ya la gente en la calle?

—Pues yo los he oído perfectamente.

—Estás excitadísima. Eso es lo que te pasa. Como sigas así, vas a ver visiones.

—¿Tampoco has oído el estrépito de la cencerrada?

—Tampoco.

—¡Qué felicidad!

—Mira, Rosa: vamos a tener que llamar a don Felipe para que te vigile esos nervios...

—Que se los vigile a su mujer, que buena falta le hace — replicó ásperamente Rosa —. O que te vigile a ti el hígado, que de seguro lo tienes tan grande como esta cama.

Entonces José le tendió una mano y le apretó el brazo con afecto.

—Bueno, lo de la cencerrada lo creo. Ya me la esperaba yo también.

Ella retiró el brazo.

—Y tú, como si nada. ¡Qué diferentes nos ha hecho Dios!

—Sí, muy diferentes — suspiró José y comenzó a escurrirse bajo las sábanas.

—¡Y tan diferentes! — recalcó ella en tono de reproche.

Y siguió recostada en la cabecera del lecho, insomne y atormentada.

* * *

Abajo, en su pequeña habitación, Mariana, también sin sueño, había sido sorprendida por los disparos. Saltó del lecho y corrió a la ventana, a escuchar, conteniendo la respiración. La ventana daba al corral, oscuro y medroso en aquellas altas horas, donde los ecos iban a morir.

Cuando volvió el silencio y ya no pudo oír más que el febril golpeteo de su corazón, se hincó de rodillas.

—¡La culpa es mía, Virgen Santa! — gimió tiritando bajo el camisón —. ¡Que no le pase nada, Dios mío!

Rompió en sollozos. Y continuó luego, más dulcemente:

—Dios te salve, María, llena eres de gracia...

III

ESTABAN sentados al borde de la cama, con los pies desnudos sobre el suelo. La oscuridad era completa. Pero ellos no necesitaban verse. Se olían, sentían sus recíprocos hálitos en el rostro y sus dos corazones latiendo por toda la superficie de sus cuerpos. Estaban fundidos y disueltos el uno en el otro: como el olor en el aire y la sal en el agua. Iluminada ya no lloraba y él decía:

—Cada uno nace con su sino. Es como una marca para toda la vida. El mío es un sino malo, torcido. Por eso he tenido que luchar contra él sin descanso. Y unas veces podía con él, pero otras veces no podía.

La casa y sus alrededores estaban sumidos en el silencio. Sólo de cuando en cuando sonaban en la terraza los débiles gemidos de alguna agonía interminable. Y, en aquel silencio, las palabras de Luciano cobraban una humanidad tremenda. El hombre era sólo voz.

—Todo me ha sido difícil y me ha llegado tarde. Si hoy hubiera tenido veinte años menos, me hubieran dejado casarme en paz...

Ella le interrumpió:

—A mí no me importan esos veinte años de más. A mí me importas tú.

Luciano la besó. Ella se deshojaba ya como una amapola bajo sus caricias. Después, siguió diciendo Luciano:

—No sé pero yo siento a veces como si una mano me cogiera por la nuca para hundirme en el agua. Lo tengo soñado muchas noches. Entonces hago un esfuerzo y logro sacar la cabeza. Pero por poco tiempo. La siento ahora mismo. Hasta la presente he logrado salir a flote...

Ella se apretó más contra él.

—Siempre saldrás a flote, Luciano. Y ahora tienes que sacarme a mí también.

—Eso es lo que más me duele. Si fuera a mí sólo... ¡Pero que se metan contigo...!

Rechinó los dientes y todos los músculos se le estremecieron bajo la piel.

—Ya se metían antes, hombre.

—¡Qué bastardos!

—Mira: de no fijarte tú en mí, nadie lo hubiera hecho. A una muchacha que la deja el novio no se la corteja ya con buenos fines. El que más y el que menos quiere aprovecharse, si puede, pero nada más. Yo llevaba ya dos años sin salir de mi casa más que para ir a misa de alba, los domingos, y así hubiera seguido hasta llegar a ser solterona declarada para servir de pitorreo a todo el mundo... Con que por mí no te apures. Yo no siento más que el berrinche que te estás llevando. Siento todo esto por ti. Por mí, no. Por ti.

Él guardó silencio, tal vez porque le gustara oírla hablar en aquel tono sincero y apasionado, y ella continuó:

—Pero ya falta poco. Dentro de nada amanecerá. Y, ya de día, nada hay que temer. Además, nos iremos en seguida y, si teníamos pensado estarnos un mes de viaje, nos estamos dos, o tres... Y así, para cuando volvamos, el pueblo estará conforme y, más de cuatro, arrepentidos...

—Ese Felipón... Y Goyo, y Lucio... Mañana le diré a Martín que los eche. Traeré forasteros para mis trabajos — se dio una fuerte palmada en el muslo y añadió —: Eso: traeré forasteros... — y, tras una pausa, prosiguió —: Y a los Pelocabra... Los haré marcharse del pueblo. Todo lo que tienen es mío. Nunca hubiera querido hacer una cosa así, y Dios lo sabe muy bien, pero en esta ocasión... ¡Te aseguro de que se van a acordar de lo que han hecho esta noche!

—No, a esos, no — y la voz de Iluminada envolvía un ruego apremiante —. Son dos viejos, y ella es buena y me quería. Déjalos que vivan y mueran en paz en su casa.

—Pero los hijos...

—¿Te parece que tienen poco encima? A Isabelo no le quedarán ganas de volver, y Margarito se tendrá que ir con su hermano porque aquí nadie lo quiere y es un mal trabajador. Y a los dos tendrá que caérsele la cara de vergüenza sabiendo que sus padres viven de tu compasión.

Hubo una pausa. Ya no se oía ningún gemido de agonía en la terraza. El silencio era tan profundo y desolado que parecía que todo estaba muerto en derredor. La voz de Luciano sonó luego llenando de vida la oquedad:

—Los dejaré por ti, dejaré a los viejos en su casa...

Iba a seguir, pero se contuvo. En el gran balcón de la sala había sonado un estallido de cristales rotos. Luciano se contrajo e Iluminada se agarró a él angustiosamente. Saltaron más vidrios con estruendo y se oyó el choque de las piedras contra los postigos. Marido y mujer permanecieron en silencio, fuertemente abrazados. Y otra vez gritó el mocerío:

—¡Que salga la novia! ¡Que salga la novia!

Eran voces de madrugada, ebrias y afónicas:

—¡Sal, majo, que te vamos a dar caramelos!

—¡Vejestorio!

—¡Sal, si tienes hígados!

—¿Lo ves? — murmuró Luciano con voz helada —. Otra vez siento la mano en la nuca...

—¡No salgas! — imploró ella.

Pero el Negro se puso en pie y como Iluminada quisiera imitarle, la contuvo:

—Tú estate quieta ahí, sin moverte, pase lo que pase.

—¡No salgas, por el amor de Dios!

Había aumentado el vocerío fuera. Los varazos y los

golpes con piedras descargados sobre la puerta principal resonaban siniestramente en toda la casa.

—Es inútil — dijo Luciano a su mujer, con una voz tranquila y triste que ponía espanto —. Quieren pelea y saben que la tendrán. O salimos ahora los dos a flote o nos ahogamos.

Iluminada, no obstante, siguió implorando:

—¡No les des ese gusto!

—No hay más remedio.

—¡Hazlo por mí!

—Por ti y por mí y, por si tenemos hijos, debo salir.

Ella intentó agarrársele, pero él la rechazó e Iluminada cayó sobre el lecho sollozando convulsivamente.

Sonó el áspero ruido de la palanca del rifle como si se le atragantase una bala, y ella contuvo el llanto y el aliento. Y él repitió:

—Pase lo que pase, no salgas de aquí.

Luego, la mujer no oyó más que las pisadas de los pies desnudos de Luciano, el abrirse y cerrarse la puerta. Y ya no pudo siquiera llorar. Se quedó encogida, agarrotada de ansiedad y de miedo, pero con la inteligencia y los sentidos reavivados por una rara y frígida lucidez...

Luciano cerró los ojos al recibir en ellos la rabiosa claridad que inundaba la casa. Estaba pálido, pero tenso y decidido. Cuando desde lo alto de la escalera pudo señorear el espacioso ámbito que se abría a sus pies, reaccionó vivamente. Se detuvo a escuchar y la proximidad de la lucha que aquellas voces y aquellos gritos presagiaban, le caldeó la sangre. Luciano apretó el rifle contra su pecho y comenzó a bajar despaciosamente...

(El plantador insiste:

—Mil más y es tuyo.

Pero Luciano deniega con la cabeza.

—Lo dicho, si quieres. Ni un céntimo más.

Están los dos en la trastienda de Luciano. Es media

mañana. Se oye, próximo, el ruido del cafetín, donde la gente juega, bebe y discute. Un negro se asoma a la puerta y dice a Luciano:

—Patrón: ahí le llaman.

Pero el plantador vuelve a la carga:

—Por lo menos, quinientos. Lo vale.

Luciano abre los brazos. Y otra vez el negro:

—Patrón, que le llaman.

Va a salir Luciano cuando se oye, procedente de la parte de atrás de la casa, un grito espantoso de mujer:

—¡Luciano!

Luciano se queda intensamente pálido, pero no duda. Coge el rifle de detrás del mostrador y echa a correr hacia el patio. Le siguen el plantador y el negro.

Todo lo ve como a la luz de un relámpago: Milagros, en el suelo, retorcida, y un hombre, a caballo sobre la tapia, que trata de huir. Luciano apunta con el rifle a la cabeza del hombre y dispara. Todo en un segundo. El hombre suelta las manos, abre las piernas y cae.

El plantador dice:

—Yo lo he visto.

—Y yo — dice el negro también.

Luciano se arrodilla junto a Milagros. La muchacha tiene desgarrada la blusa y muestra los pechos, uno de ellos profanado y, el otro, abierto y sangrante. Y, cuando va a besarla, ve que la boca de Milagros rezuma sangre y que sus ojos, muy abiertos, miran al sol sin pestañear.

La coge en brazos, como aquella noche. Pero ahora está rodeada de hombres que han acudido a la voz del disparo. Dice:

—Está muerta.

Y lo dice con una tranquilidad que espanta. Entonces el plantador repite:

—Yo lo he visto.

—Y yo — dice el negro.

—Lo hemos visto todos — dicen otros hombres.

Y remachan:

—Todos.

Cuando la tiende en el viejo lecho para lavarla y vestirla, se acuerda del rostro de aquel hombre que le dijo:

—"Yo la he comprado muchas noches por menos dinero que tú, español de mierda".)

Luciano se detuvo en el último escalón para gritar:

—¡Va!

Afuera se notó el efecto momentáneo de la sorpresa. Disminuyeron los golpes y cesaron los gritos y, a la vez, creció un rumor sordo y compacto de pisadas, presiones y alientos.

El Negro cruzó las losas ásperas y frías del zaguán lentamente. Mientras, iba midiendo bien todas las distancias con la vista. Por último, se detuvo junto a la puerta y escuchó. Sólo se oía ya una sola respiración inmensa y jadeante. Entonces, descorrió la llave y dio unos pasos atrás, apuntando con el rifle que sostenía apretado contra la cintura. La puerta se abrió violentamente y en su marco apareció el haz de rostros de los asaltantes, que se apretujaban. Eran caras sucias de la tizne y la pez de las antorchas, grotescas y trágicas a la vez, desfiguradas por una tensión irresistible, obstinada y agotadora. Entre ellas apareció la de Margarito. Y Margarito era el único que parecía sonreír.

En el ominoso silencio sonaron, tranquilas y grávidas, las palabras del Negro:

—¿Qué queréis?

La pregunta los desconcertó en el momento, hasta que uno de los de atrás contestó:

—Anda, con la pregunta. ¡Ver a la novia, sandiez!

Luciano, que había retrocedido unos pasos más, se encogió de hombros y dijo, en el mismo tono de antes:

—Aquí no hay ninguna novia.

—¡La Ilu! — le gritaron algunos.

Ya la voz del Negro se calentó y su mirada se aceró al replicar:

—Esa es mi mujer.

—¡Pues esa! — dijo brutalmente Felipón.

—¡Queremos verla y que nos convide!

Y la llamaron a gritos:

—¡Ilu! ¡Ilu!

Los de atrás empujaban y los de delante se vieron forzados a irrumpir dentro de la casa. En vista de ello, Luciano corrió a situarse sobre el primer escalón. Desde allí dominaba al grupo de asaltantes y, sobre todo, evitaba ser envuelto por ellos.

—¡Al que se acerque a la escalera, lo tumbo! — rugió, describiendo un círculo de muerte con el arma.

Entonces Margarito salió de entre todos a codazos y se plantó a corta distancia del Negro.

—¡Tira, si te atreves, anda! — se había desgarrado la camisa y mostraba el pecho desnudo; un pecho carnoso y sin apenas vello, casi un pecho de niño —. No como antes, de lejos. ¡Aquí, de cerca, cara a cara! — y le incitó —: ¡Anda, como matabas a los negros allá! A mí no me asustas tú.

Los dos se miraban atentamente: el mozo, con expresión exaltada; el Negro, con gesto triste y concentrado.

—Pero si ese no mata nada, ¡ni moscas! — gritó el Bomba.

Y, en ese instante, Fernando alzó la mano y disparó un cencerro contra Luciano. La acción fue tan rápida que éste no pudo esquivar el proyectil y el cencerro fue a chocar duramente contra su pecho. Se tambaleó. Los demás intentaron entonces cogerle, pero él aún tuvo tiempo y energías para retroceder un par de escalones más.

El Negro había visto, en el entretanto, que un bulto trepaba, a gatas, junto a la pared, pero al darse cuenta de que era el Escaso, desvió su atención de él para fijarla en los que se le echaban encima a los gritos de:

—¡Al pilón con él!

—¡Al pilón! ¡Al pilón!

Y, de pronto, Margarito, abiertos los brazos en aspa y desorbitados los ojos, gritó, dominando el tumulto:

—¡Así, no! ¡Cara a cara!

Pero era tarde. El Escaso, que se había escurrido hasta situarse a espaldas del Negro, acababa de hundirle su navaja en los riñones.

Luciano, al sentirse herido a traición, disparó a bocajarro sobre el Pelocabra, quien cayó de bruces con la boca abierta. Aquello produjo una parálisis general.

El primero en reaccionar fue Luciano que buscó la pared para apoyarse en ella. Se mordía los labios y le ardían los ojos. Los demás permanecieron estupefactos hasta que le vieron mover la palanca del rifle y oyeron el chasquido de la bala en la recámara. Entonces, presas de un pánico incontenible, echaron a correr hacia la puerta, chocando unos con otros, atropellándose y golpeándose contra los batientes. El último en escapar fue el Escaso, que se tambaleaba, que se cayó en medio del zaguán y que al fin salvó el umbral de la puerta a trompicones. El Negro, disparó varias veces contra los que huían, pero no logró hacer más blancos, debido a su nerviosismo y a que se sostenía en pie a duras penas. No obstante, continuó haciendo fuego hasta después de quedarse a solas con Margarito, inmóvil a sus pies. Tiros inútiles, de rabia y de consuelo.

Cuando cesó el retumbo de los disparos, el Negro respiró con ansia y miró hacia arriba. En lo alto de la escalera estaba su mujer, muda de horror. Se había puesto una de aquellas batas blancas de guardamecí plateado con que soñó verla vestida al saltar del lecho. A pesar de la distancia, se buscaron sus ojos. Y ella hizo intención de querer bajar.

—¡Quieta! —le gritó él con voz ronca—. Yo subo.

Apoyándose en la pared, Luciano fue subiendo aquellas

escaleras que eran su orgullo y cuya posesión iba rubricando con su propia sangre. Decía:

—Puedo, puedo.

Tenía seca la garganta y alentaba por boca y narices. Arriba, ella le esperaba con los brazos abiertos.

—Puedo yo, puedo... — murmuraba, Luciano.

* * *

Isabelo se puso en pie de un salto.

—¡Eso sí que son tiros! — exclamó.

La madre, que se había quedado traspuesta, abrió los ojos y se le quedó mirando sin entender.

Siguieron sonando más tiros e Isabelo, pálido y tembloroso, miró a su madre sin ocultar su desasosiego.

—No vayas tú — le dijo ella.

Isabelo permaneció indeciso hasta que, desde el portal, llegó la voz temblona del viejo Pelocabra:

—¡Isabelo!

El mozo, angustiado, tragó una saliva amarga. La madre le miraba con una desgarradora pena reflejada en los ojos. Pero volvió a oírse la llamada del padre, más imperiosa:

—¡Isabelo!

El mozo, tras un esfuerzo que le dolió desde el talón a la nuca, salió de la cocina.

—¡Ay, estos hombres, Señor! — gimió la vieja, con la misma voz de agonía que si los estuviera pariendo.

En el hueco de la puerta de la calle le esperaba el viejo Pelocabra, quien movió los labios para pronunciar una sola palabra:

—Toma — y le presentó una gran navaja abierta, y la mano del viejo temblaba más fuertemente que nunca.

Isabelo la empuñó inconscientemente, salió a la calle y echó a andar por ella como un sonámbulo. Apuntaba la aurora y en puertas y ventanas se agolpaban rostros curiosos y despavoridos que decían, a su paso:

—¡Allá va el Isabelo!

—¡El Isabelo, Dios!

—¡Ay, Virgen!

Él los veía turbiamente, pero las voces le llegaban claras y acuciantes. Marchaba por el centro de la calle, despacio, como sin saber adónde dirigirse. La navaja despedía unos fulgores blancos, de muerte.

—¡Míralo: es el Isabelo!

—¡Va a matar al Negro, Dios!

—Los Pelocabra son muy sanguinos...

Isabelo aceleró el paso. Cantó un gallo. Luego, muchos encadenadamente, rompieron la última telaraña del sueño. Y pronto también se salpicó la amanecida de ladridos malhumorados. Algunos rostros desaparecieron apresuradamente de las ventanas. Y se oyó el ruido de los postigos que se abrían y se cerraban a todo lo largo de la vía y el rumor de las voces de los hombres, llamándose:

—¡Celestino!

—¡Voy!

—¡Ramón!

—¡Hala, vamos!

—¡Hala!

Muchas mujeres gritaron:

—¡No vayas tú, Andrés!

—¡Antonio!

—¡Juan, por Dios!

Pero ya Isabelo corría como si le empujaran o le persiguiesen. Dobló la esquina a la calle principal y emprendió la subida corriendo. El mozo apretaba los dientes. El negror de la barba crecida afilaba sus facciones y hacía destacar la cadavérica palidez del rostro. Su gesto era como si le doliesen las entrañas. Pero Isabelo corría con la navaja abierta en la mano...

* * *

Rosa y José, en el balcón y a medio vestir, contemplaban el extraño despertar y moverse de las gentes del pueblo.

—¿No te dije que eran tiros? ¿Lo ves? — escupía ella a la cara de su marido.

José era incapaz de contestar a Rosa. Ella entonces preguntó a gritos a una mujer que regresaba de la esquina:

—¿Qué pasa?

—Que ha habido tiros en la casa de su cuñado y el Isabelo corre para allá con una navaja en la mano. ¡Ay, doña Rosa, quiera Dios que no haya muertes! Los Pelocabra son muy sanguinos.

Brotó entonces un doble grito: el de Rosa y Mariana a la vez. Esta última acababa de asomarse a la puerta casi desnuda. Y las dos desaparecieron rápidamente hacia el interior de la casa.

* * *

Por la calle principal bajaba el Escaso tambaleándose. De cuando en cuando se dirigía a los curiosos:

—Yo lo he quitado de en medio. ¡Yo!

Su estólida sonrisa y su voz de clarinete, haciendo el efecto de un agrio chirrido, provocaban repeluznos. Y, aunque algunos sonrieran involuntariamente, los más hacían gestos de desagrado. Una de las veces alguien le preguntó:

—¿A quién has quitado tú de en medio, vamos a ver?

—¡Al Negro! — contestó, engallándose.

—¿Tú al Negro? ¡Bocazas!

—¡Yo! ¡Yo! Los demás han sido unos falsos — y se daba furiosos golpes en el pecho.

Pero la gente no le creía. Y él siguió, gritando, colérico, a derecha e izquierda:

—¡Yo le he dado la puntilla! Los demás, unos cobardes. ¡Yo! ¡Yo!

Isabelo, que llegó jadeando, le zarandeó.

—¿Qué ha pasado, Escaso?

El barbero estaba morado de frío y, al ver la navaja que empuñaba el otro, se estremeció.

—¿Qué ha pasado? — repitió Isabelo con ira.

—Como esa es la que yo le he metido en los riñones — contestó el Escaso con voz trémula.

—¿A quién?

—Al Negro.

Entonces Isabelo le miró a la cara con mayor atención. Los ojos del Escaso tenían ese brillo siniestro de las aguas estancadas, y la embriaguez y el frío los habían rodeado de sombras violáceas. Los pelos le caían sobre la cara fofa y surcada de dobleces...

—¿Y Margarito?

El Escaso hizo una mueca de desprecio.

—En la escalera lo tienes, boca abajo. Los demás han tirado para el monte como liebres. ¡Son unos falsos! Si no es por mí...

Pero Isabelo ya no podía oírle porque había reanudado la carrera hacia la casa de Luciano. Llegó a ella casi sin aliento y quedó sorprendido por la quietud y la mudez con que todo parecía dormir en derredor. Tras un breve descanso para respirar, entró y entonces se quedó paralizado.

Margarito reptaba por la escalera, gimiendo sordamente y dejando tras de sí un reguero de sangre.

—¡Ilu! ¡Ilu! — clamaba el herido.

Isabelo corrió hacia él y en seguida percibió el vaho de la agonía en torno a su hermano. Y quiso cogerle, pero Margarito le contuvo con un gesto y le dijo:

—Remata al Negro... Arriba...

Le rezumaba sangre por la boca y tenía turbios ya los grandes ojos negros. Su voz era estertórea. Isabelo sintió el latigazo de la sangre en la cabeza y se tambaleó. Pero se rehizo y emprendió, con gesto cansado y triste, la ascensión de la escalera. No se oía más ruido que el de su hermano arrastrándose: el ruido del cuerpo y el clamor sordo de la agonía mezclados.

La puerta de la alcoba estaba abierta y, dentro, lucía una desbordante iluminación. Asomó la cabeza con mucho cuidado para no hacer ruido y se quedó asombrado de lo que vio. Cuatro ojos estaban esperándole... Y una fuerza extraña le obligó a pasar.

El Negro yacía en el lecho, recostado sobre almohadones. Estaba pálido y sudoroso, pero tenso, con un fulgor terrible en las pupilas. Con una mano oprimía unos trapos ensangrentados contra la parte de atrás de la cintura y, con la otra, empuñaba el rifle, cuya culata apoyaba en el vientre. Sobre la cama veíanse otros trapos sanguinolentos. En pie a su lado, la que fue su novia, despeinada, salpicados de sangre el rostro y la blanca bata.

—¿Qué buscas? — le preguntó el Negro, mordiéndose un gesto de dolor.

Isabelo no respondió, oyéndose, en cambio, la espantosa voz de Margarito, mezclada con náuseas de sangre:

—¡Ilu!

—¡Tira eso! — ordenóle el Negro.

El mozo, sobrecogido, se miró la mano que empuñaba la navaja, y la dejó caer al suelo, tras un gesto de repugnancia y de asombro. Luego, movió la cabeza nerviosamente y dijo:

—Yo no he sido. Yo no quería esto... — y, como Iluminada y Luciano hicieran una mueca de incredulidad, agregó —: Yo quise evitarlo, pero no pude...

—¿Es éste el Isabelo? — preguntó Luciano a su mujer, pero sin quitar ojo al intruso.

—El mismo — contestó Iluminada.

El Negro sonrió despectivamente.

—¡Ilu! — gimió otra vez Margarito en la escalera.

—¿Y qué venías a hacer aquí con la navaja?

Isabelo, por toda respuesta, alzó los brazos y los dejó caer luego resignadamente.

—Di — insistió rabiosamente el Negro.

—No lo sé.

Isabelo tenía un aspecto triste. El cansancio acumulado en tantas horas se había echado de pronto sobre él, abrumándole.

—No lo sé — repitió mirando al suelo.

—No lo sabes, ¿eh? — y a Luciano le sonaban los dientes —. ¡Ponte de rodillas, que es como debes estar delante de ella! ¡De rodillas he dicho!

Los ojos de Luciano no admitían réplica y el cañón del rifle tembló... El mozo se dejó caer de rodillas. Y, por primera vez, buscó los ojos de Iluminada desesperadamente.

Siguió un momento de tensión angustiosa y cuando ya Iluminada posaba su mano en el brazo armado de su marido para interceder por la vida de su antiguo novio, volvió a oírse la voz agonizante de Margarito, más desgarradora:

—¡I...lu! — y, con la última bocanada de vida, extrañamente dulce —: ¡Cor...de...ra!

Se estremecieron los tres como si les hubiera rozado el rostro aquel postrer suspiro. Ya Isabelo parecía más flaco y mucho más viejo.

—Has entrado hasta mi propia alcoba con un arma en la mano y yo podría matarte ahora tranquilamente, sin temor a las consecuencias... — oyó el mozo que le decía el Negro enseñándole los grandes dientes blancos y con una voz que parecía llegar de muy lejos, una voz de fantasma —. Pero yo no uso el rifle para matar corderos... — y, después de una pausa en que Luciano tragó saliva y respiró con ansia —: ¡Vete! Vete y llévate a tu hermano.

Iluminada repitió:

—Anda, vete.

Su propia miseria le hacía sentirse tan débil que tuvo que apoyar las manos en el suelo para enderezarse. Y salió de la alcoba sin atreverse a mirar a Luciano ni a su mujer.

Margarito estaba tendido en la escalera, con el puño crispado sobre el último escalón. Ya no alentaba. Isabelo se arrodilló junto a él y, reuniendo todas sus fuerzas, consiguió echárselo al hombro. Bajó la escalera tambaleándose, teniendo que apoyarse en la pared para no caer. El cuerpo exánime se balanceaba blandamente. Sus pies se movían delante de él y sus brazos le golpeaban en la espalda... Isabelo rompió a sudar... Y ya amanecía claramente cuando salió al cercado.

En la calle se tropezó con los grupos que subían hacia la casa del Negro. Eran gentes arrancadas con violencia al sueño, empalidecidas doblemente por la aurora dudosa y por la ansiedad. Tres mujeres salieron del grupo y echaron a correr cuesta arriba. Los demás le abrían paso en silencio. Una mano le detuvo.

—¡Ay, hijos, hijos!

Era su madre. Lloraba. A su lado, el viejo Pelocabra movió los labios y mostró las tensas cuerdas de su largo cuello. La palabra se le enredó en la garganta. Isabelo murmuró:

—Esto es lo que trae hablar más de la cuenta...

Y la gente los dejó solos.

* * *

Cuando se desvaneció el ruido de los pasos de Isabelo, Luciano soltó el rifle.

—Me ahogo — dijo con voz silbante —. Abre un poco las persianas.

Iluminada corrió a satisfacer el deseo de su marido y una leve brisa, saturada de aromas del bosque, batió el aire denso de la alcoba, purificándolo.

—¡Qué amanecer! — exclamó Luciano, aspirando el aire fresco con ansia.

Sudaba y alrededor de sus ojos iban creciendo las sombras. Pero su mirada, en cambio, era un desbordamiento tumultuoso de las hondas pasiones y de los fuertes deseos de toda una vida lentamente madurada.

—¡Qué amanecer! — repitió, paseando sus quemantes ojos por cuanto le rodeaba.

Iluminada, vuelta a su lado, desgarraba, en tiras, una de aquellas suntuosas prendas blancas. La mano con que el Negro se sujetaba el improvisado vendaje estaba teñida ya de rojo y, por entre sus dedos, se escapaba el flujo perezoso de la sangre.

Al cambiarle la compresa tuvo ella que cerrar los ojos, impresionada por la boca tremenda de la herida.

—Ahora es cuando veo de verdad lo hermosa que es la vida... — murmuró él y, luego, se quedó mirando fijamente a Iluminada.

La mujer no pudo resistir el anhelo desesperado de aquellos ojos y se agarró a su marido llorando.

—No me llores, por Dios — rogó el Negro con voz ronca.

Se estrecharon los dos frenéticamente.

—Tendría que ser así... — dijo él, después, ahogando la voz sobre el seno de Iluminada.

Entonces sonaron voces y ruido de pisadas en el portal.

—Es la gente — murmuró Iluminada, y se soltó del abrazo.

Luciano se estremeció y miró a la puerta de la alcoba. Y una nueva inquietud se apoderó de él.

—Vete por aquellos papeles del escritorio — dijo —. Guárdatelos hasta que pase todo. ¡Que no te los quiten, mujer!

—¿Y quién me los va a quitar?

Él seguía con la vista clavada en la puerta, como hipnotizado. Se oían los pasos y las respiraciones agitadas de varias personas que subían corriendo la escalera.

—¡Esos papeles! — repitió Luciano, muy excitado.

Pero antes de que ella intentara moverse, en el hueco de la puerta asomaron los rostros desencajados y anhelantes de Rosa, Ricarda y Mariana. Después del primer instante de estupor, en que sólo se oía el respirar entrecortado de las recién llegadas, Rosa dio unos pasos, murmurando:

—Pero Luciano...

Entonces, Iluminada, que estaba de rodillas junto a su marido, se puso en pie bruscamente y salió al encuentro de su cuñada, cortándole el paso.

—¿Qué quieres tú, qué buscas aquí? — le preguntó recalcando las palabras y en un tono de voz frío, pero estriado de ira —. ¿A Luciano? Es mi marido... — Y, calentándosele la voz, añadió —: ¡Luciano es mío! ¿Entiendes? ¡Mío!

Rosa se quedó como clavada en el suelo y miraba a la mujer de Luciano, que se le iba acercando lentamente, presa de un asombro paralizador.

—¿O es que buscas los papeles? Seguro que eso es lo que más te interesa a ti... Los papeles, ¿eh? — y, estremeciéndose y dándose golpes en el vientre, gritó —: ¡Los papeles los tengo ya aquí! ¡Aquí! Y aquí no me los puede quitar nadie más que Dios. — Se quedó vibrando, sacudida por su propia violencia, y, después, con los dedos engarfiados, gritóle furiosamente a la cara —: ¡Márchate! — y repitió, con la voz más ronca y concentrada —: ¡Már...cha...te!

Rosa se tambaleó, azotada por aquel latigazo de furia. Quiso hablar y abrió la boca, pero la imponente actitud de Iluminada la amedrentó. Bajó entonces la cabeza y salió de la alcoba tambaleándose.

Siguió un momento de intensa emoción hasta que Iluminada dejó caer los brazos, exhausta.

—¿Qué hay que hacer, Ilu? — preguntóle Ricarda quedamente.

Iluminada reparó entonces en su amiga que lloraba en silencio y sorbiéndose las lágrimas.

—¿Tú? — preguntó.

La ira y el coraje se borraron de su rostro y de su alma para dar paso a su íntima congoja. Se acercó a Ricarda y, cogiéndole las manos, le rogó:

—¡Tráete a don Felipe! ¡Pero a escape! ¡Por lo que más quieras!

Ricarda movió la cabeza afirmativamente y dijo:

—Ahora mismo. Descuida — se soltó de Iluminada y salió corriendo.

Mariana estuvo todo aquel tiempo acurrucada a un lado de la puerta sin atreverse a trasponer su umbral. Desde allí, con ojos sólo para Luciano, pudo apreciar sus gestos de dolor mientras las mujeres hablaban. Le vio enderezarse, enardecido, cuando Iluminada se golpeó el vientre, y apretar las mandíbulas al tiempo de expulsar a Rosa. Sorprendió asimismo en los ojos del hombre aquel chisporroteo que a ella la dejara tantas veces sin fuerza, desfallecida... Y Mariana cerró los ojos. Y cuando Ricarda se marchó, ella, temblando, sin apenas fuerzas para sostenerse en pie, abandonó silenciosamente su sitio, casi inadvertida.

Un sordo quejido del Negro hizo volverse rápidamente a Iluminada. Él tenía fijos los ojos en ella, pero unos ojos inmóviles que se iban quedando a oscuras al tiempo que amanecía, y movía los labios para llamarla sin que le saliese la voz.

Entonces sonaron nuevamente en el portal voces sofocadas de gentes que llegaban presurosas y el aire vibró con el alegre tañido del esquilón de la iglesia llamando a la misa de alba.

En las Villas de Benicasim, verano de 1958.

ESTE LIBRO FUE IMPRESO EN LOS TALLERES TIPOGRÁFICOS ARIEL, S. L., BERLÍN, 46-50. BARCELONA, EN MAYO DE 1959